音

堀田善衞　司馬遼太郎　宮崎 駿

朝日文庫

本書は一九九二年十一月、ユー・ピー・ユーより刊行されたものに加筆しました。

目次

時代の風音

1　二十世紀とは

「書生」として

宮崎　じつは、お二人にお話をしていただきたいと、私はずっと長いあいだ熱烈に願っていたのです。一つには、私は若いときから堀田さんの作品を読んで、どれほど理解していたかわかりませんけれども、ずいぶん影響を受けてきたつもりです。とくに『広場の孤独』（昭和二十六年、芥川賞）のラストで、日本脱出をやめて闇ドルを焼く主人公の姿に、自分もこの日本という好きになれない国とつきあうしかないんだ、と考えました。

それ以来の堀田さんの戦後の歩みは、私にとって最も誠実な日本人の生き方の手本でした。その堀田さんがスペインに行かれて、国家はなくなるだろうということを書かれたことで、肩が軽くなるというか、ほっとした経験があるのです。

同時に、司馬さんの本を読んでいまして、とくに『明治という国家』やNHKテレビの『太郎の国の物語』はビデオで何度も見てひじょうに感動しました。司馬さんのおっしゃっている道徳的緊張とか徳目《とくもく》というものに対して、ものすごく魅《ひ》かれるものがあるのです。

お二人の違いというのは、カソリックとプロテスタントの違いかな、と勝手に思ったりしてるのですけれども（笑）。

司馬　うまいたとえですね。むろんクリスチャンじゃありませんけど（笑）。

宮崎　私の頭の中で、お二人が全然整理のつかないまま身体が二つになってしまったような具合に同時に共存しているものですから、できたら橋をかけていただけたらどんなにうれしいかと思いまして、ぜひお二人に話していただきたかったのです。

言い出しっぺなのだから司会をと『エスクァイア』の編集部から言われたのですが、それではあまりにもおこがましいので、「書生」というすでに死語になった言葉ですが、そういう立場でお二人が話をなさるのをそばで聞かせていただくことにしました。

ついでにおしゃべりしてしまいますと、私は子供を相手に商売しているものですから、子供たちの状況というのが気になるわけです。子供たちに向かって、大人としてこれなら本当だといえるものを作っていかないと、要するにリップサービスで愛だとか友情だとかというのではなくて、本音を語らないと子供たちはまったく受けつけません。

そういう点からみていきますと、国家としてだけでなくて、民族として、種族としてでも、日本はどうなってしまうのだろうということがひじょうに気がかりなのです。そのへんも含めて、お二人にお話し願えたら、ほんとうにうれしいのですが。

難治の国・ロシア

宮崎　ところで、この二十世紀という時代は、後の世からどうみられるのでしょうか?

司馬　人類の長い歴史からみても、これまでに比較できることのない、いちばん忌《い》まわしい世紀だと言っていいかもしれませんね。他の世紀ははるかに穏《おだ》やかです。しかし二十世紀を蹴《け》っとばすにしても、やはり理解してしっかり蹴っとばさないと空振りになりますから(笑)。

堀田　過去からみても、今後未来においても、この二十世紀くらい人をたくさん殺した世紀はないでしょう。この一世紀のあいだで一億人くらい殺しているんじゃないですか。

司馬　一億人は十分に。スターリンによる政治的・思想的殺害だけで二千万人を超えているのですから。殺人ということでは、ソ連は史上最悪の帝国でした。

エリツィンらによる〝ソ連邦消滅〟宣言の、異様なほどの性急さと明快さは、「もう〝魔物〟はいなくなった」というロシア人の安堵感の上にのみなりたつもので、じつはロシア人にしかわからない、身につまされるような政治的表現でしょう。

ソ連邦の出現やその後のナチの盛衰を含め、〝政治優先、政治がすべて〟という迷信を二十世紀の人類がもったことと、それらの政治団体（この場合は〝国家〟）が、思想の普遍性とともに兵器も普遍化したこと。つまり大量殺戮できる兵器を、機関銃にはじまって最後は核に至るまで大量にそろえたこと。そういう一大勢力が、このたびのソ連邦の崩壊でとりあえず消滅したわけです。

堀田　イデオロギーが崩壊したソ連ですが、この国はもともと難治の国ですな。

ロシア帝国をつくったのはイワン雷帝[1]ですね。このイワン雷帝という人は、二番めの奥さんをイスラムからもらい、一五七五年と翌年との二年間、帝位をジンギスカンの子孫のモンゴル族に譲ってモスクワから出ていった。

イスラムとモンゴル族の双方に気を使わねばならぬ、という事態はじつに象徴的で、今日でも実態は変わっていない。ロシア史ではこの譲位を〝奇矯なる行為〟と捉《とら》えているようですが、こういうめんどうなことをしなければならないほどに、あの国はじつに難治の国だ。

宮崎　難治の国、なるほど。

堀田　ソ連邦の崩壊、消滅の過程をみていると、ゴルバチョフはやはりペレストロイカとグラスノスチで、つまりは最高会議での議決によって連邦を、というのですが、しかし、昨年までイデオロギー独裁であったので、まだプルーラリズム（複数主義）の用意がない。

したがって、議論させれば個人攻撃になったり、極端な激論が展開されたりで、まともな政策論ができない。複数政党もできない。それで業を煮やしたエリツィンは、国民にも議会にもいっさい相談なしで、ウクライナとベラルーシとのスラブ系三共和国だけで秘密会議をベラルーシのブレストでして、ソ連邦の解体を宣言し（一九九一年十二月八日）、議会に事後承諾を求めた。

ペレストロイカとグラスノスチではじまったものが、再びもとの旧ソ連共産党のやり方そっくりな事後承諾、陰謀めいたボスたちの秘密会議で幕を閉じました。

司馬　ロシア史というものに、政治、経済、文化の成熟はありませんね。各エポックごとに未熟でした。中途半端ばかりでレーニンの革命になった。

遊牧民のモンゴル族がロシアからポーランド、ハンガリーまでの草原地帯をローラーをかけるように行き来して、自分たちの土地だと思っていたわけでしょう。そこへロシアの農民が少しずつやってきて耕作をはじめたのが、遊牧民にとって邪魔でしょうがなかった。だからキプチャク汗国が、そこへ覆いかぶさって税金を苛酷《かこく》にとった。いわゆる〝タタールの軛《くびき》〟がはじまり、いまでも観念のうえでは残っていますな。

つまりキプチャク汗国がそうであったように、貢《ヤサク》をとる官僚は偉い、むろん貴族は偉い、あとの大多数はロシア農奴だ。この図式はロマノフ王朝になっても変わらず、ソ連六十九年間、少ししか変わっていない。

いまその図式が消滅して、帝政末期のあの薄弱な商品経済の世に戻ったのですが、その商品経済さえ、いまのロシアの人々の記憶にない。どうするのでしょうか。

堀田　共産党の支配下でいちばんひどかったのは、ヒューマン・ロス。商品がないから行列して並んでいるあいだは、何もできないわけでしょう。考えることもできない、苛立《いらだ》つだけです。

司馬　そのロスは大きかったと思います。二十世紀のソ連人は、国家の重作業については、大いに手伝わされた。大砲から核までの重工業、先端技術の兵器工業化、国家行動としてはハンガリーやチェコスロバキアへ戦車部隊を派遣したり、アフガニスタンへの侵攻をやらされたりしたのに、個人としてたとえば個々にいい靴を作って婦人客をよろこばせようとか、交配させてきれいな花を作って商品化しようとかという方向のやる気を起こした経験がない。

十九世紀のロシアの小説を読んでいると、商売はほとんど出てこないです。官吏や軍人は商人でないし、靴屋はあってもイタリア人やドイツ人がやっている。技巧をつくした靴はヨーロッパからくるものだと思っている。江戸時代の商売の種類の一〇パーセントもないんです。やはり未成熟のままエリツィン時代を迎えたのです。

堀田　紙、鉄、商店、マガジン……、ロシア語のこうした単語は、アラビア語、トルコ語といったイスラム系の言語からの導入です。いずれも重要な言語ばかり。

司馬　それに鉛筆《カランダーシュ》。みなモンゴル経由ですけど。(4)

堀田　文化的にいえば、そもそもロシアよりイスラムのほうがずっと高かった。

二十世紀の迷惑

宮崎　経済的に行き詰まって共産主義がダメになった。それじゃ、代わりにこの大きな国を束《たば》ねるためにローマンカトリックをもってくるのかとなりますと……。

司馬　ローマンカトリックにはとてもそんな力はないでしょう。

かつてのロシア正教というのは、ひじょうに強い拘束力をもっていて、国家そのものでした。たとえば、江戸時代の日本からロシアに、漂流民が帰化するとなると、ロシア正教に入信して洗礼名をもらわねばならない。国家とロシア正教は表裏をなしていた。そのロマノフ王朝が終わると、国家は無宗教になるのかと思うと、そうじゃなくて、なにがしかの人間に共通すると考えられる思想をもたなくてはいけないようにだれも考える。だから、なんでもない普通の国にすることができなくて、結局マルクス主義をもたざるをえなくなった。

堀田　ロシア革命のとき、農民が二人、レーニンに会いにいった。戻ってきて言うには「今日はレーニンというツァー（ロシア皇帝の称号）に会った」（笑）という話がありますよ。

司馬　ソ連はわりあい法体系のしっかりした国なのですけれども、しかし共産党というツァーがいるわけです。ツァーは、法から超然、超越した存在です。エリツィンさんにしてもやはり似たようなもので、大統領令をしきりと出す。これも、ソ連共産党がツァーそのものであるという型を、やっぱり示しているのですね。アメリカでは大統領令はそう出しません。

宮崎　もう一つの大国、中国の場合ですが、ウイグルとかチベットが中国領というのは私は信じ難いんですね。征服としか思えないのですけど。

堀田　しかし、困ったことに征服そのものがあの国の歴史の実体なのです。漢族、蒙古族、満州族などの交替征服が歴史を形成している。海外へ華僑として、あるいは難民として大量にどどーっと出ていった時期を調べてみますと、交替征服の時期と一致しています。

宮崎　その難治の、清《しん》をそのまま引きずっている状態の今日《こんにち》の巨大化した中国の姿というのは……。

司馬　ロシアと中国の二つの古い帝国が世界のお荷物になりつつあるわけです。しかも〝両帝国〟ともじつに帝国らしいところは、帝国の固有領土はむろんのこと、帝国たらしめていた〝版図《はんと》〟も失いたくない。

明《みん》という漢民族王朝（一三六八〜一六四四）の時代の版図というのは、だいたいわれわれが納得できるような中国人の住む領土の範囲でした。宮崎さんのおっしゃるように、清という異民族による征服王朝（満州族統一の一六一六〜一九一二）ができて、征服がお得意の王朝らしく崑崙《こんろん》まで征服し、やがて崑崙からシルクロードの果てまで自分のものにしました。モンゴル、チベットという異域が帝国の版図に入るのは、清王朝のときです。

その拡大した版図を、国民党政府と毛沢東政権とが相続し、ここからここまではおれのとこだというひじょうに強い線引きがある。寸土を失うことは中国を失うことだ、という迷信ができているわけです。

大領土国家というのは、科学技術を開発したり社会化したりするうえで、とても間尺《ましやく》に合わない。盥《たらい》の水に数滴の水を加えても水位はあがりませんが、試験管ぐらいの小さな容器に加えると、水位があがる。ともかく政治をうまく機能させるうえでも、ほどほどのサイズが必要ですね。

堀田　たしかアダム・スミスだったと思いますが、政治と経済がうまく機能するのは、人口五千万人までが限度だと言っていましたよ。

司馬　ドグマで支配するのは大領土国家の一つの型ですね。中国は、春秋戦国のころは諸子百家の時代で、思想は自由で、国家が思想によって裏打ちされるということはありませんでした。ところが、秦帝国によってはじめて中国が統一されると、法家の思想でもってすべてを統御せざるをえなくなりました。漢という統一帝国の時代になり、漢の武帝の時代にはじめて儒教が国教になりました。帝国の御用ドグマとして帝国を支配した。

その儒教の箍《たが》がはずれると、毛沢東さんがマルクス・レーニンというドグマを津々浦々まで行き届かさなければならなかった。

これはロシアも同じで、けっきょくマルクス主義をもたざるをえなかった。大領土国家の一つの型の常です。それがじつに世界の迷惑だった。二十世紀の迷惑だった。

宮崎　難治の国でありながら領土を拡大させた、あのエネルギーはどこからきたのでしょう。

堀田　やっぱり征服欲です。征服者というのはプルーラリズムをとれないものですよ。トルストイがトルコとのクリミア戦争に従軍し、その戦争を描いた『セヴァストポリ物語』で、「征服は悪い、しかし結果はよかった」とあの平和の人でも書いています。征服によって、ロシア文明を未開の民族に広げることができたのだと。

宮崎　これからこの大国はどうなるのか……。

司馬　思想的国家というのは、目にみえざる動物園のサクやオリのなかにいて飼いならされている動物のようなものかもしれません。飼われているシステムさえ理解していれば、動物としてはじつに楽です。

しかしサクを外されて野外にほうり出されて、これから自由に餌をとり、自由に食え、といわれても、どうやって生きて行っていいのか、わからない。

いまでも中国の辺境の党幹部たちは、『人民日報』から目を離さずに見続けて、『人民日報』が違うことをいいはじめたらそのとおり言わなきゃいけない。一週間まえのまま言っていたら誤りだと批判されるものですから、ひじょうに疲れるそうです。では自分が考えてやることにしたらどうかと言いましたら、「それはかえって疲れるじゃないですか」って言われてしまった（笑）。人間から自発性という能力を奪ってしまう。

堀田　『人民日報』のことが出たから『プラウダ』の話をしますと、私は一九六八年にソ連軍がチェコに侵入したときにモスクワにいたのです。すぐあとにタシケントで会議がありまして、「他の国に騒動があるからといって、軍隊を持っていくのは反対だ」と発言した。そんなことを言ったのは私だけで、えらい冷たい目でにらまれましたけど（笑）。
それでモスクワに帰ってきましたら、作家同盟の秘書が「どこかに遊びにいこう」と言うのですね。夜中に近かったですけど。「どこに行くんだ」「まあ任せとけ」と言って連れていかれた先が『プラウダ』の外報部なんです。
ほとんど全員が酔っぱらってる。ウイスキーやウォッカの瓶がそこらにごろごろしてる。「なんでそんなに酔っぱらっているんだ」と聞きましたら、プラハの特派員からテレックスが「この出兵はよくない。直ちに撤兵すべきである」ときてる。だけど『プラウダ』としては、翌朝の新聞にその反対のことを書かなきゃいけない。「酔っぱらいでもしないとそんなこと書けるか」というわけだった（笑）。

司馬　うその帝国だったわけですな。

堀田　私にとってもショックでした。背中から汗が出て「顔面蒼白だけど、どうしたんだ」と作家同盟の秘書が言うんです。

宮崎　共産主義がだめといったって、じゃアメリカはうまくいっているかというと……。

司馬　そこに二つの問題を含んでいると思うのです。最初ゴルバチョフさんはアメリカのような体制をつくりたい――むろん、共産党というエリート集団をのこしつつ、です――と思っていた。ところがアメリカのような体制というものはロシアは経験したことがない。もっとも人類はアメリカでしか経験してませんけど。
つまりアメリカはあらゆる慣習も法の下にあり、法の基本は自由であるという体制の国です。ただ、自由も一つの迷信といえばそれまでですけども（笑）。つまり、麻薬をやることも自由だ、暴力も自由だ、拳銃所有も自由だ、ということになるから問題は大きいのですが、なにはともあれアメリカはソ連からみればうまくいってると思われている。だけど、アメリカというのはソ連や中国からみると小さな国ですわね。規模からいったら。

宮崎　資本主義でも、ロシアはうまくいかないと思うんですが。

堀田　西欧の資本主義、市場経済というものには、少なくともプロテスタンティズム以来の四百年の経験則が働いていますし、日本のそれも徳川期以来、やはり四百年の経験則が働いています。

宮崎　それがないロシアは最低の資本主義国になりかねませんね。

司馬　最低の、つまり闇屋とマフィアと売春婦の資本主義。資本主義のいちばん初期のいちばん悪いやつになるでしょうね。

宮崎　ギリシア正教に戻れない以上、ツァーの末裔を呼んでくるなんて言ってますけどね。そしたらやっぱり、マルクス共産思想そのものは間違ってなかったんだ、やったやつが悪かったんだってことにすぐなるんじゃないかという恐れがある。その揺り戻しというのはソ連全土に起こりうるんじゃないでしょうか。

堀田　ありうるでしょうね。

司馬　ありうるだろうと思います。なぜかというと、自分が商品経済の中にいたことがないんですから、ロシアの同志《タワーリシチ》のみなさんは。

だから中国の同志《トンツィ》たちとは違うんですね。中国はどんなに政治が悪くっても食えてますよ。それはいろいろな食料品屋や商人がいて、古来、実務家の国なんです。それがないロシアは、やっぱりもういっぺんコミュニズムでやらんとしょうがないということがありうるかもしれませんね。

宮崎　私はたまたまモスクワへ行った知人から聞いただけですけど、人心がものすごく荒れてるっていうでしょう。共産主義は極右として蘇るという、そういう可能性はあるんじゃないでしょうか。

堀田　シンガポールのリー・クアン・ユーさんは、ペレストロイカを先にやってグラスノスチはずっと遅らすべきだったと言ってた。

司馬　リー・クアン・ユーさんは、政治優先の人ですね。政治的安定のみがすべてをもたらすという考えですから。シンガポールはひたすら政治安定をめざしたことでちゃんとした国になったのですから。ただシンガポールは、ソ連や中国にくらべると、けし粒のように小さな国です。老子が理想としていたような。

「ユニーク」な国々

宮崎　イデオロギーによる二大対決が退いたものの、世界の中では紛争はかえってすごくなるんじゃないかと思ってるのです。

司馬　小さな抗争はかえってすごくなるでしょうね。

堀田　アゼルバイジャンなんかはもうそうじゃないですか。原理運動になってるでしょう。党のまえの第一書記が大統領になってる。そういう地域がいっぱいあるわけですから。

内戦でごたごたしているユーゴスラヴィアですが、スロヴェニアとクロアチアは、イタリアでいえば工業が盛んな北⑤イタリアにあたり、セルビアは農業主体の貧しい南イタリアにあたる。

第二次世界大戦中、クロアチアとスロヴェニアはナチにつき、セルビアは後に大統領になるチトー将軍の元で、ゲリラとなってナチスと戦った。と同時にクロアチアとスロヴェニアのナチス協力派とも戦った。その根がいまだに残っている。ヨーロッパの人は固陋《ころう》に保持しますから。

そうした根っこが、共産主義のドグマの蓋《ふた》がはずれて、一気に噴き出してきたわけです。

宮崎　こういう話のなかで、同じ共産圏といえども、とくにユニークなのは北朝鮮（朝鮮民主主義人民共和国）ですね。

司馬　地球規模の、人類の大きなテーマを話してますと、北朝鮮は話題に容易にはいってこれませんね。あの国はユニークすぎて、私など、とても住めませんが。

江上波夫さんが、あの好奇心の塊《かたまり》のような人が、二年ほどまえに北朝鮮にいらしたのです。ちょうど帰ってこられたころにばったりと大阪で会ったので、「いかがでしたか」と聞きました。そうしましたら、ああいう巨人の感想というのはおもしろいですな。何を見に行ったかというと、古代、ピラミッドでも万里の長城でもたいへんな人の手作業ですが、どのくらいの日数がかかったかという計算がいまの学問ではできない。

それが北朝鮮へ行けばわかると思って行ったそうです。スタジアムをレンガ積んで作ってる。初めはなかなか進展しないで、時間が長くかかる。ところが人間というのは、ある時期からおもしろくなってくるらしい。だんだんスピードが上がってきて、「案外われわれが思っていたよりも早くできますよ」と言われるのです。それを見に行くためだけの旅でした。

宮崎　それはすごい。

司馬　こういうレベルの観察者にはかないません（笑）。体制がどうだとか、そんなことに関係ない。

レンガ積み作業があまりにもすばらしい人の手作業の営みだったので、ホテルに帰ってきて、江上先生はお酒はお飲みにならないんですけれども、バーでお酒飲んだんだそうです。

あまり「すばらしい、すばらしい」と言ってたら、やっぱり周りにいるホステスはスパイなんですな、金日成さんのところへ言いつけに行ったわけです。「あの日本の大学者は、この国をすばらしい、すばらしいと言ってる」と。そうしたら金日成さんが会いたい、と。あの〝首領さま〟が。金日成に最近会った数少ない一人ですから「首領さま見に行ってどうでした」と言ったら、「え、会社員みたいな人でしたよ」(爆笑)。どういう意味かよくわからない。よくわからないんだけど、人類史的な規模をもった観察者が日本にはいるということで、ちょっと心強い。いい話でしょう。

宮崎　北朝鮮がすごい国だと思ったのは、外国に赴任中の北朝鮮の外交官が免税品の酒を密売して、摘発されたことです。それも何年かおいて重ねて起こった。外貨不足で大使館の活動資金がないから、そうやって稼ぎ出さなきゃいけないのかと、想像したのですが。

堀田　北朝鮮でのこれからのポイントは、やはり核査察の問題でしょう。困るでしょうからね。

司馬　在韓米軍が核を撤去して、韓国大統領が核ナシ宣言をしました。北朝鮮については、北京もモスクワも冷えきっていますし、これからどうやっていくかたいへんでしょう。

人類の歴史のなかで、北朝鮮のような国は一度も登場したことはないですね。

さきの老子の話ですが、小さい国がいいと言っています。その理想の国の規模は北朝鮮よりもずっと小さいのですが、船も車も遠くへ行くから国家の敵であり、たとえばピョンヤンで人民が持っていい車輛は自転車だけです。それも遠くへ自由に行ってはいけない。物資も情報もはいってこないほうがいい。たとえば、ラジオは国内の電波だけにかぎられている。着る物は自分で織ればいい、これが老子の理想の国です。北朝鮮の場合、戦車や戦闘機をたくさん持っていることに目をつぶれば、国家が国民に要求しているのは、老子の国に似ていますね。べつに老子をモデルにしたのではなく、偶然状況が似たのでしょうけど。

宮崎　似てますね、中国古代の理想国と。

堀田　ヨーロッパのほうでいうと、古代ギリシアの哲人であるプラトンが、哲人国家の理想を説いた『国家』によると、彼の言う理想国家というのは、恐ろしくきびしいものです。

もう一つ取り残されるのはキューバですが、これはスペインが介入してなんとかなるだろうと思いますよ。フランコはずいぶんカストロをそっと援助してたんです。反乱を起こす子供が可愛いんですかね。スペインにカストロの親父さんの農場がまだ残ってるくらいですから。

宮崎　イスラエルはどうなるでしょう。

司馬　あの国もアナザ・カントリーですね（笑）。普遍性の高い、人類とか世界とかの話の中で必ず話の通じない外国が出てきた。これまではソ連が外国でしたが、もうわれわれと同じ国になった。だけどいまや人類にとって外国とは、ピョンヤンでありイスラエルかもしれません。

堀田　イスラエルは、アラファトと国連との間で結ばれたジュネーブ協定がマドリッドで今度開始された中東和平交渉に適用されるなら、パレスチナと国境のない二つの国が重なることになるんです。

パレスチナ独立国の政府とイスラエル政府と、二つの国が重なってあるようになるんです。あの議定書というのを、あまり無視しちゃいけませんね。もしそこへ到達するならば、マドリッドでやった会議の行く先は、ひじょうにいい。

司馬　重なるとなると、ユダヤ人のメンタリティ、もしくはユダヤの原則はどうなるんですか?　彼らはここは自分の地面という意識でしょうから。

堀田　両方が両方ともで、俺の地面だと思えばいいわけです。

司馬　なるほど。

堀田　この協定にアラファトがサインするとき、ほんとうに涙を流したらしい。やはり線引きのあるパレスチナ国家というものをもちたかったわけですから。それが国境線のないダブル・ステイトになったのです。

司馬　これを受け入れなかったら、また殺し合いになるでしょうから、しょうがないですね。

堀田　だからもしこのジュネーブ議定書の実現にたどりついたら、ひじょうに新しい歴史上の現象ですね。明瞭な国境のある国土、領土という観念がひっくり返るわけですから。

宮崎　アラブは、イスラエルが持ちこんだ西欧型の農業にまさるそれを創り出さないと、勝てないと思うんです。石油では勝てない。石油で稼いだ金は、結局、武器の代償として欧米に吸いあげられてしまいました。

武器のありよう

宮崎　二十世紀の大きな特徴は、武器を各国が競うように持ったことにあるのではないでしょうか？

司馬　二十世紀の大きな特徴は二つあると思います。一つは、大国ロシアをはじめ多くの国が政治優先でしたが、そうした政治がすべてという迷信を二十世紀の人類はもったということと、それともう一つ、殺すということでは兵器を、しかも大量に殺戮できる兵器を、機関銃から始まって最後に核にまで至るものを二十世紀になって作ったということです。兵器は全部、人を殺すための道具ながら、これが進歩の証《あかし》でしたね。

堀田　ある個人を標的とした毒殺ということでは、ルネッサンス時代の人間はひじょうに詳しかった。それがイタリアのPistoia《ピストイア》でピストルが十六世紀半ばに発明されたとたんに、毒殺知識がどーっとなくなった。

司馬　イタリアは毒殺までが芸術だったですな（笑）。

ジョルジュ・シムノンのメグレ警視がアメリカの犯罪を罵《ののし》ってますね。彼らはプロの犯罪者だといって。フランスの犯罪者は全部素人《しろうと》だから、われわれが芸の細かい捜査ができるんだと書いている。二十世紀早々から、アメリカのギャングは、殺したいたった一人の人間を、自動車で走りぬけつつ、街頭で機関銃でやる。あんなことをやられちゃ、人間の心理の機微に分け入るメグレ的な捜査法があがったりになります（笑）。

宮崎　でもなぜそんなに殺したんでしょうね。なぜそういう世紀になってしまったのでしょうか。

司馬　人類がもっている普遍性へのあこがれですな。ブラック・ユーモアになりますけど（笑）。ベトナムでは、人殺しの道具といえば村の鍛冶屋がつくったナイフだけでした。やっと一人が一人を殺しうる道具で、一カ月に三人も殺せば、ヘトヘトです。ところがベトナム戦争では、背の小さいベトナム兵が、熟練度もないのにバズーカ砲をかついで、一台五億円もする戦車を簡単にやっつけてました。それを文明だと思うところに、私ども人間の暗いおとし穴があります。普遍的思想と、最新兵器の普遍性とがかさなっています。

キリスト教が広まったのも、イスラム教が広まったのも、「これは普遍的なものなんだ」といった思いからでした。それに加わらないと自分たちが田舎者になってしまう。イスラム教の場合も、二、三百年まえ、インドネシアの山の集落の人々が、商いのためにマラッカ海峡まできてイスラム教に接すると、これが普遍的なのだと思って結局イスラム教徒になった。そしてイスラムから来た商人と商取引をする。「同じだ、同じだ」という気分があって、たがいに安心できる。だから大宗教が広まったのでしょう。

兵器もそうですな。女の子が「いまこれが流行《はや》ってるのよ」ということで新しいスカートをはくように、人類は兵器に関しても、そうした普遍的なものを持ちたがります。

堀田　二十世紀のこういう状態をつくり出した元の人は、私はナポレオンだと思いますよ。ナポレオンがはじめて徴兵制に基づいたナショナル・アーミー、つまり国民軍というものをつくった。その兵たちがフランス革命の「自由、平等、博愛」、この三イデオロギーをかついで、今度はスペインを解放し、ドイツも解放し、イタリアも解放し、解放という言葉を使えばですが、そしてロシアへまでも行った。

それまでのヨーロッパにおける戦争というのはみんな傭兵《ようへい》でしょう。傭兵の出所《でどころ》というのは、いちばん貧乏だったスイスとポーランドなんです。戦争というのは傭兵と傭兵が戦って、野っ原で百姓している人たちは関係ないわけ。

傭兵の戦争というのは、冬は休みなんです。寒いから（笑）。その冬が早くやってきて、フランスで「腐った夏」といわれているような寒い気候が八月からはじまったりすると、雇ったほうは八月から休まれちゃかなわんわけだ（笑）。海軍の戦争も冬は休みだった。冬は地中海が荒れるから。フランスのトゥール軍港がトルコ艦隊の冬期の停泊地でした。

そのうえ、雇い兵同士お互いになるべく損害の出ないように、平和条約みたいな契約を結んだりした。戦争まえから敵、味方にそういう暗黙の了解があるという状態でもって戦ったわけですね。そういうのどかな状態だった。

それが国民軍になると、これは強制力をもっていまして、つまり自分たちの国民軍以外のものは全部敵になる。そうした国民軍に対して、スペインでゲリラ戦争というものが発明されたわけです。それが二十世紀になると、国民軍というものに民主主義というイデオロギーをかつがせて、ベトナムまでもはいっていくことになる。そういうものの根源は、私はナポレオンにあると思うんですね。

司馬　そうだと思います。それがもう決定的な根源でしょうな。つまり、タダだということですね、徴兵ですから。フランス革命と徴兵はもう不離一体のものです。革命防衛軍として国民軍をつくるには徴兵だ。いくら敵弾で死んでも、司令官の損にはならない。

一方、ドイツの伯爵が自分の手元で雇うとなると百人でも大出費です。ですから、小さなユンカー（地主貴族）が自分の小作人に軍服を着せて三人か四人連れて集まってくる。そうしたプロシアの兵隊だとかバイエルンの兵隊に対して、ナポレオンのタダの国民軍の兵は雲《うん》霞《か》のごとく繰り出してくる。そして死んでも死んでもリクルートできるということは、やっぱりナポレオンの大発明ですね。それに、ナポレオンの国民軍は、おっしゃるように三色旗で象徴される三つのイデオロギーを宣伝しました。

堀田　これはよけいな話ですけど、ポーランドの傭兵というのは、じつにいろんなところへ行ってる。スペインのグラナダを一四九二年にイスラムから解放し、一五二七年の「ローマ劫掠《ごうりゃく》」にも行ってるでしょう。[6]

宮崎　あんなところへ行っているんですか？

堀田　ポーランドなんてところは、ジャガイモがはいってくるまで暮らせませんよ。

司馬　すごい指摘ですな。

宮崎　ポーランド兵は、第二次大戦でも、北アフリカやイタリアのモンテ・カッシーノ[7]で戦っていますね。

司馬　私は、ピレネー山脈の山奥のバスク地方に行って、ずいぶん蒙《もう》を啓《ひら》かれました。
　そこの神父さんも、ふつうの学校の先生も、罵るのはフランス革命のことでした。「あれから事態が悪くなりました」と、口をそろえる。私ら極東の島国ではフランス革命礼賛で習ってるのに、いちばん本場に近いフランス籍のバスク人も、スペイン籍の人も「あれで国民国家ができた。そしたらわれわれは差別された。われわれは天地の創《はじ》まりからここにいたのに、ところが少数民族になった。いまは大民族のフランス人やスペイン人にくらべて少数のバスク人はわりをくった。その根源は何かというとフランス革命だ」と罵るのです。だから人類というのはいろいろな立場があるのですね。

堀田　有名なクラウゼヴィッツの『戦争論』というのも、やっぱりナポレオンの戦争の仕方を下敷きにしてる。

司馬　テキストの下に敷いていますね。

宮崎　クセノフォンという人の『アナバシス』[8]を読むと、ペルシアの王子に雇われたギリシアの傭兵が、チグリス・ユーフラテスまで王位継承戦争に行くんですね。ところがスポンサーが死んでしまって金がはいらないので、敗走しながら奴隷狩りをやる。それに抵抗して皆殺しになってしまう村もある。そういう意味では、古代ギリシア軍も、ナポレオンによるエジプト遠征のフランス軍とたいして違いはないという気もするんですが。

司馬　そういうところにお金というものの害は確かにありますよ。物事全部を数量化しちゃうのですから。お金というもののおかげでわれわれは合理的になったということもありますけども、確かにお金ということがどうもまずいことにもなる。これあんまりロマンティックではないですな（笑）。

宮崎　ヨーロッパが少し賢くなるのは、第一次大戦と第二次大戦やったせいだと思うのですね。すさまじい戦争でしょう。それをやってないところは、二十一世紀になってもまだやるんじゃないですか。

司馬　日本は第一次大戦をほとんどやってなかった。この大戦以来、軍艦と車輌が石油で動きはじめるようになったんですが、そのことを情報として日本陸海軍は知ってました。この段階で戦争は阻止すべきでした。石油をアメリカから買っているんですから、少なくともアメリカとは戦争できない。

太平洋戦争のときの、日本の地上軍の装備は日露戦争当時のままで、せいぜい、大正末年、⑨宇垣《うがき》軍縮のとき、歩兵の小隊に⑩擲弾筒《てきだんとう》と軽機関銃が加わった程度の、ほとんどが十九世紀の装備でした。

こういう自分のひ弱さがひそかに軍人たちにわかったときにファナティシズム（狂信）は出るんでしょうな。物資がない、ということで、すなわちファナティックな日本万歳、日本神聖主義、日本陸軍は世界一強い、といった不思議なものが昭和初年に生まれましたね。

実際に太平洋戦争をはじめたのも、石油がないならボルネオから直《じか》に採ればいいと、太平洋の諸島に兵隊をばらまくといった、戦術の教科書に一度も載ったことのない史上空前の兵力の分散をやったわけでしょう。

宮崎　だからファナティシズムも強烈なナショナリズムも人類の敵ということが、この二十世紀で人類が学んだことといっていいでしょうか。社会主義の大義もしかりですね（笑）。いまとなっては、イスラムの大義だけが残っていますが。

堀田　人間が考えたいちばん最初の軍縮運動というのは、平たいバネ仕掛けの弩《いしゅみ》というやつを発明したことからはじまったんですね。それまでは騎士と騎士の槍仕合いでしたが、弩弓《どきゅう》のおかげで百姓でも、騎士や王さまに当たりさえすれば殺せるようになったわけです。

それで、貴族社会はあわてててローマ法王に頼んで、たしか十一世紀の半ばころの法王庁の公会議で、弩というものを禁止するということを神の名においてやった。これがいちばん最初の軍縮会議。だけど、神の名において禁止しても、全然禁止にならなかった（笑）。以後、二十世紀まで武器は〝進歩〟するばかりだった。

電波の力

宮崎　二十世紀のもう一つの特徴に、マスコミ、とくにテレビの発達があって、武器を使いにくくする作用をもたらしたのではないでしょうか。

司馬　電波の発展は、マルクスの予想外の一大要素でした。電波によって大衆がリアルタイムで自他を捉えることができるようになり、政治どころか人心を地滑りのように動かしたということを、二十世紀の特徴として後世の歴史家は挙げるでしょうな。

ユーゴスラヴィアのような局地的なけんかみたいな戦争はありますけど、大戦争はちょっとやりにくい。

堀田　湾岸戦争のとき、アメリカの出兵をヴァチカンの法王庁がものすごく反対したでしょう。それはヴァチカンは歴史でものを考えてるからです。

オスマン・トルコ帝国の歴史の延長として考えると、イラクがクウェートにはいっていくのは不自然ではないかもしれない。

一方、アメリカは法治国ですから法がいちばん上の国。それでアメリカは国連という横断的な、しかも歴史的な積み重ねをもたない、現在だけに通用する法で動いた。でもヴァチカンからみると、横断的な法と歴史のけんかということになる。それはかみ合わないから、重大な後遺症をのこす。だから出兵だけはやめてくれと言ったのがヴァチカンですね。

それともう一つは、ヴァチカン放送というものはひじょうにヨーロッパで重要なものです。

司馬　そうですか。

堀田　たとえば、自分の国の政府はこう言っているが、どうも納得できない。ということになると、ヨーロッパの人たちはだいたいヴァチカン放送を聞く。それで法王庁の判断はこうだが、我が国の政府はこうであると。だからこの二つをどうにかしなきゃならんという考え方ですね。

それで日本ではヴァチカン放送を聞こうと思っても、なんぼ探したって聞こえないね（笑）。

私はヨーロッパに十年いまして、よく聞いてたのはヴァチカン放送、それからパレスチナのPLOの放送。これもひじょうに落ち着いてまして、それで冷静なんです。私はなんでかなと思ってましたら、いずれも領土を持たないんですね。ヴァチカンも領土を持たないといっていい。

司馬　領土を持たないということは冷静になれますな（笑）。

宮崎　逆に言うと、領土をいっぱい持ってる国は冷静じゃなくなるんだ（笑）。

堀田　それからもう一つは、ひどく悪い国になってますけど、アルバニア。アルバニアのラナ放送というのも冷静。

これはなぜかわかんないんだ（笑）。中国なんかを、ものすごくたたいていた。同じ共産国で、ひじょうに援助を受けていながらね。これも奇妙な現象ではあったんですけども、このアルバニア放送、PLO放送、それからヴァチカン放送という、こういう小国の声が日本にはいっさい届かない。

司馬　なるほど。

堀田　だから、私は湾岸戦争のとき、しょうがないから東京のヴァチカン大使館に頼んで、ヴァチカン放送のコピーをとってもらった（笑）。

いわゆる歴史の結節点でヴァチカンというのはわりと確かなことを言ってる。一九九一年の初めごろ、「資本主義に関する回勅」というのをヴァチカンは出しました。ヴァチカン大使館からそのコピーをもらったのですけど、ものすごく厚い。これは読みきれないですけども、つまりは資本主義の行き過ぎというものを諄々《じゅんじゅん》と諭《さと》している。

宮崎　アメリカの大統領は聞いてるんですかね（笑）。

堀田　聞いてないでしょう。ただし、大使館がありますから、法王がこう言ってるということは大統領にメモランダムで来てるでしょう。

司馬　アメリカは、国家が人民のめんどうをみてると、人民のほうも政府のほうもお互いにそう思っています。しかしヨーロッパのほうはそうはいかないですね、国家が最高だとは思ってないです。

堀田　思ってないですよ。もともとだれも思ってない（爆笑）。

「時代の空気」はつかみ難い

宮崎　私なんかは学生時代に書物で社会主義というものに触れて、これしかないんじゃないかなと思った時期がありました。

　ベルリンの壁が瓦解する以前にもう社会主義を見放してましたけど、自分の認識の浅さも含めて、なぜ社会主義はこうなってしまったのかなあと思い、理想だと頭で考えていた社会主義とはぜんぜん違う社会主義という名前のものができてたんだなということを、いまあらためて思うのですけど。

堀田　どういうふうに表現したらいいかわかりませんけども、私はソーシャリズムというものがあるということは学生時代からひじょうに痛感してました。だけどソビエト・ソーシャリズムというものがあるけれど、それは普通にいわれてるソーシャリズムというものと同じものであるとは、学生時代からとうてい思えなかった。

宮崎　レーニンの本を読んでいやになったそうですね。

堀田　そう。生家が回船問屋やってましたから、子供のころから、ソビエトのセーラー（船員）がしょっちゅううちへ遊びに来てました。ですからしぜんとソビエト人というものについて、あるいはロシア人というものについてはずっと親しみをもちつづけてきました。だからどうしてもロシア人、ソビエト人というものと、ソビエト・ソーシャリズムというものが私の中で結びつかない。合わない。

　それで学生時代に、加藤周一君や中村真一郎君などと議論をしていて[11]地中海社会主義というものがあることを知り、それが一つの救いでした。この地中海社会主義というものを、いまミッテランのフランスがやっていると思います。

司馬　ロシア人が一人でやってきたらひじょうによい友達になれる。ソ連人が二人でやってくると相互監視するから別な人間になるとよく言いますけども、確かにロシアという国は、本来、専制と官僚で治めてきた。

帝政の時代からギリシア正教というものが国家そのものだったのですけども、その教義は甘ったるいこと言ってる。たとえば神さまがどうこう、愛がどう、マリアさまがどうだとか言ってるものですから、童話のような中で暮らしてこれたと。その帝政が終わったあとはコミュニズムで治めたわけですから、ロシアの国の歴史の中身というのは、これはたいへんなものだったですな。

私より堀田さんは五つ上ですから、『資本論』というものを少しは親身になって読まなきゃいけない、そういう青春期があったと思うのです（笑）。私はそれがまったくなくて、戦後を迎えたでしょう。そしたらわりあい流行《はや》りました。京都大学担当の新聞記者だったものですから、いろんな先生たちや学生たちが真っ赤っかになっていくのを見ました。とんでもない人まで真っ赤っかになろうとしてました。

それで彼らのだれといくら議論しても、勝ったことないですな。議論では負けました（笑）。コミュニストと議論して勝てる人はだれもいないです。ところが、「そんなこといったって」という大阪弁で、「そんなこというたって」というところから本音がはじまるのですけども、彼らコミュニストの議論はそういう具合になっていません。たとえば「ソ連というものは、巨大な権力で中産階級を含めた人民を農奴にしたんだ」ということを言いますと、とんでもない、そんなもんじゃないと、こうなりますね。

結局は、大正終わりぐらいから昭和になってから書かれた――たとえば、世界とは何か、日本とは何かという記述、つまり歴史、あるいは社会科学的な自己や他人を観察する記述のほとんどが左翼か右翼かでした。真ん中なんか一つもなかったです。だから、ただの人間とか、ただの社会とか、ただの日本とは何かということを自分で考えざるをえなかったですな。考えざるをえないだけでなくて、自分でじかに日本史に当たらざるをえなかった。だから私個人でいえば、それは私の勝手につくった娯楽だった(笑)。

宮崎　楽しみ?

司馬　楽しみというより、テメエ勝手にちょっとした自分の使命だと思ってたのかもしれません。

その似たような人が同時代に私より年上で、たとえば桑原武夫さんのような人がいました。桑原さんといえども時流の中の人でしたから、いろいろ平和運動のなかでは調節が必要だったと思うのです。

十年ほどまえに桑原さんのなんかおめでたいことがあって、京都のホテルでパーティがありまして私も行きました。途中でスライドがはじまって真っ暗になったんです。いつのまにか老人が横へ座られまして、この人は京都の私学の教授だった人です。としは桑原さんより二つか三つ上のかたでした。昭和初年からなんですが、ずっと左翼でした。

「桑原君はどうして左翼から免れえたんでしょう。ほぼ同時期に中学、高校、大学と行ったのですけども、私は若いときにもう左翼になりました」と、たいへんな後悔の口ぶりです。後悔してるったってその後もずっと左翼の運動の中には常にはいってるんですけどね（笑）。そのときには私は返答ができませんでした。〝私どもの世代は〟とおっしゃった。「私どもの世代は、あなたの世代にはおわかりにならないと思いますけども、左翼にならない人間というのは、つまり真心がないんだとさえ思われていました。それでいま後悔してますが、この桑原君はどうして左翼から免れえたか」という質問でした。

宮崎　どうしてでしょう。

司馬　たまたまそのころ『中央公論』の巻頭に、原稿用紙二枚ほどの短い、いい文章を、この人たちと同時代の東洋学者・宮崎市定博士[12]という人が書いてました。

　自分が若いころは左翼の時代で、ほとんどの人が左翼になった。良心的な人は左翼になった。ただ自分がならなかったのは、大脳が身体の生理を支配することができないのと同じことだと書かれてました。つまり、いま胃袋を動かせといったって、胃袋は勝手に動いてるし、大腸も、膵臓《すいぞう》も勝手に動いている。それを全部命令でやろうとしたら内臓は死んでしまう。細胞は勝手に新陳代謝してリフレッシュしているのに、いま新陳代謝せよとか、さあインシュリンを出せとか、そんなバカなことをしてるはずがない。だからあれは間違いに違いないと思ったから自分は免れた、とお書きになっていました。いまはもう九十ぐらいのおとしだと思うんですけどね。

昭和初年、多くの知識青年が左翼になったということを、後世の人たちはちょっと誤解すると私は思いますし、その理由がよくわからないでしょう。現場の感覚というのはわかりませんでしょう、同世代でないと。

堀田　そりゃわからないですよ。

司馬　たとえば太宰治さんが左翼に対してずっと後ろめたかった。太宰さんはならなかったために。石坂洋次郎さんもそうでしたね。『麦死なず』という作品に左翼の人が出てきて、奥さんを虜《とりこ》にしてしまう。なのに左翼でない自分はその相手の男に対してひじょうに後ろめたく思ってる。この気分はありましたですね。時代の空気っていうのは後世はわかりにくいですな。

こんなに細かく話す必要のないことなのですけども、目の前に戦争中、上海で過ごされた堀田さんがおられるから、私は時代の空気というものについて詳しく語ったのです。

たとえば幕末に尊王攘夷、尊王攘夷、と言いつのった。それでは、世界じゅうと戦争するのかということになる。できもしないことを槍と刀をふりかざして言いつのった。いざ幕府が倒れ、明治政府になるや、まっさきに開国する。

昔は井上聞多という名で走りまわってたのちの井上馨に、むかし同志だった人が面会にきて、「尊王攘夷、あれはどうなりましたか」とたずねると「あのときは、ああじゃなきゃ、いけなかったんだ」と答えた（笑）。つまりシュプレヒコールがそのまま真理として通用する時代があって、一夜明けて世の中が変われば、それはトイレの古新聞のように古ぼけてしまう。

堀田　それは、現場の空気というものはやはりひじょうにつかみにくいものです。

司馬さんは上海のことをおっしゃいましたけど、戦争が終わってから、上海で日本の人で民衆に殴《なぐ》られたりなんかした人は一人もいない。

司馬　当時？

堀田　ええ、逆に親切になってきた。私は武田泰淳に「なんでこうおれたちは居心地がいいんだろうね」（笑）という話をしましたら、武田は「いや、どうせ日本はもういっぺんくると思ってるからだよ」と言うんですね。

宮崎　権力を信用していないのですね。

堀田　長期のレベルで考えています。どうせ日本はもういっぺんくるに決まってるから、だからいま日本人に対して乱暴なことはしないようにしてるんだと。それはやはり現場の空気というものですね。

もう一つのたとえは、中野重治という人は共産党を追い出されましたけど、とうてい共産主義者であるとは思えないですね（笑）。とうてい共産主義者なんかじゃないですよ。やっぱり現場の空気というものですね（笑）。それはつかみ難《がた》いものです。そのことをのちのちには伝え難い。

司馬　文学史的にいえば、昭和初年に中野重治さんらが『驢馬《ろば》』という同人雑誌をやってて、佐多稲子さんもいて……。

堀田　堀辰雄がいた。

司馬　石川某もいた。西沢隆二という詩人もいて、ぬやま・ひろし[13]というのが筆名です。この人はのちに共産党の偉い人になる。全員が芥川龍之介のファンだった。芥川さんが死んで、それからある時期ににわかに全員が左翼になったらしいですよ。いつ、どんな契機でもって左翼になったのかわかんないんですけども、『驢馬』の同人はほぼ全員、左翼になった。

堀田　その同人の堀辰雄はね……。

司馬　堀辰雄さんは免れてるんですね。

堀田　そうなんです。だけど堀さんも、私は家が杉並で近くてよく散歩のときなんかに会って話をしましたけど、戦時中はやはり「堀田君、ヨーロッパ全部が社会主義になる日まで、俺、生きていたい」と言ってました。亡くなったのは戦後ですけど。

司馬　つまりそういう時代があったということは、これはみんな記憶しなければいけない。私は年代がさがるので一度もなったことがないけども、そういう時代に対して、私はひじょうに寛容です。

とんでもないたとえ話を言うようですけど、ナポレオン[14]がスペインを征服にやってきたので、スペイン人がゲリラ活動で抵抗をはじめた。「きょうはひとつ、ゲリラに行くか」と言ってスペイン人が友達誘って、二、三人で木の上に登ってるんです。向こうから一個連隊がやってきた。連隊長はキラキラした制服着てますから、「あいつをやっつけろ」というので、狙い定めてドーンと撃った。それで連隊長は死ぬのですけど、撃ったほうのスペイン人ゲリラは全部殺されますよ。

　スペイン人はそうした結果になることがわからないやつばっかりだという、自虐的にスペイン人がつくったアネクドート（逸話）かもしれませんけども。しかしゲリラが流行《はや》ってる空気のときは、スペイン人もそれについ乗ってしまう。つまり、これはいまとなれば大笑いの話ですけども、殉教的になってゲリラ戦をしに行くのですから（笑）。

　戦後ほどなくヨーロッパへ行った人――池島信平さんですが――その話によると、レジスタンスやってたフランス人かなに人か知りませんが、当時は活劇映画そのままの活動してた。いまは交通巡査してるんだそうですが、そのころのことを思い出して、「あのころはおもしろかったなあ。いまは退屈だなあ」（笑）。だから時代の空気というのがあります。

堀田　ジャン・ギャバンの映画で、これから銀行強盗に行くので、地下室から機関銃持ってきながら、「あのころはよかったなあ」と言う（笑）。レジスタンスの時代のことです。

　それからスペイン内戦のときなどは、マドリッドから毎日電車に乗って戦争に行って、お昼には奥さんが弁当を持ってきて、それで夕方また電車に乗って戻ってくるという（笑）、そういうもんだったようですよ。

司馬　だからそういう感覚が、後年になるとどうもよくわからなくなる。

堀田　私の知ってるソビエトのユダヤ人で、女の人ですけど、私と何かの話をしてたら、「ミスター・ホッタ、キャン・ユー・オペレート・ザ・マシンガン？」と言うんです。その女の人に「戦争が終わったときいくつだった」と聞いたんです。

「十四だった」。十四でもうマシンガン持ったことがあるんですね。

司馬　ほんとにそういう人類の歴史というのはつかみようがないですね。

たとえば私は戦争の末期、旧日本軍の兵士でした。戦後になって日本がほうぼうで悪いことをしたというのを初めて知るんですけども、私はそんなの目撃したこともないし、もちろんやったことなどなんにもない。満州でもない。中国の人ともうまくいってました。

もしほかの環境におかれたら悪いことするかしらと思って自分の友達、戦友たちを思い出しても、とてもそんなことする人じゃない。いまだに集まりには行きますけど、年とった下士官とかいう人たちの集まりで、私がいちばん若くて、まったく私とのあいだには会話はないんですけど。

ところがいまとなったら若い人、たとえばビートたけしさんなどは、全日本軍が悪いことしてまわったとほうぼうでしゃべったり書いてたりするから、私なんかの声は小さくなりますな。そんなの見たことないと言っても。現にピックアップしたらたくさん悪いことしてる人が多かったんでしょうけども、私もビートたけしさんも活字で得た知識ですもの。

私はそういう残虐事件はなかったんだということは決して言わない。なぜかといったら、全戦線を見てまわったわけでないんですから。自分の知った範囲ではまったくなかったということですから。同時代でも、その現場、現場でつかまえかたが違いますな。

2　国家はどこへ行く

ステートとネーション

司馬　堀田さんは江戸時代の越中伏木湊《ふしきみなと》に根拠地を置いた北前船《きたまえぶね》の古き回船問屋のご子孫ですから、だから天成、開明的なんだろうと思っていました。伏木は江戸の交通史をやる人にとっては、大切なとこなのですね。

堀田　船屋というものは、とくに汽船になってからは、政府の保護がなかったらやっていけないものです。ちょっと不景気になって、荷がなくて船がもし港へとまってしまったら、貝や海藻はつくし、ボイラーはしょっちゅう動かしとかなきゃならないし、保険料、倉庫代も払わなきゃならん。それに船員の月給。そりゃたいへんです。だから船屋というものは、戦争があるか、政府の保護があるかでなきゃやっていけないですね。

私がいま、モンテーニュを書いているのも（『ミシェル　城館の人』）、一つは、モンテーニュもボルドーの回船問屋のせがれなんです（笑）。

司馬　そうですか。東西の同業者だったわけですね。

私は昔から堀田さんというのは体がヨーロッパ世界との変電器《トランス》になっていて、半分ヨーロッパ人だろうと思っていました。それもどういうわけだか、フランスだろうと。ところが意外にもスペインの宮廷画家のゴヤになっていったんで、堀田さんも年を重ねてきたのでゴヤにいったかなと考えたのです。

フランスはくたびれますが、スペインなら気楽でしょうから。どっち側もカトリック国ですけれども、フランス人のほうがゴール[1]（ガリア・ケルト）人の血なのかどうか知らないけど、我こそは世界の中心だと思ってますでしょう。

堀田　思ってますね。しかしフランスに中華思想が出てきたのは、やはりルイ王朝以降で、それ以前はイタリアに頭が上がらなかった。

司馬　フランスは世界の文化に責任をもってると思ってますね。スペインはそう思ってませんから、あるいは天才がうまれる要因の一つかもしれません。ともかく、スペインはやはり穴蔵に住んでるような気楽さというのがありますね。

ゴヤは、どちらかというとフランス革命なんて片腹痛いし、ましてナポレオンという悪徳に対して抵抗するわけですが、そっちの側に堀田さんはいかれたなと思いました。しかも綿密にゴヤをおやりになった。

ゴヤというのは、画家であると同時に、圧倒的に文学者ですね。

堀田　おっしゃるとおりです。いわゆる普通の画家というにはおもしろすぎますよ。

司馬　おもしろすぎます。人間観察というのを、絵画の中であれだけみごとにやっている画家はまれではないでしょうか。

宮崎さんの『魔女の宅急便』[2]でも人間描写が綿密に展開されていますが、ゴヤも、ナポレオンの兵隊がスペイン人の政治活動家を銃殺する後ろ姿だけで、人間のすべてを描いてる絵画がありますですね。

堀田　ええ。一八〇八年の「五月三日の処刑」という絵です。

司馬　そういう場所へ堀田さんがいらっしゃったものですから、ご自身は神はおもちかどうか知りませんが、ヨーロッパ人兼カトリックというような気がするのです。

堀田　そうですね。いま、私はめんどうなフランスの、そのなかでもめんどうなモンテーニュというおじさんとつきあってるわけなんですけども、このおじさんの書いた本に、こうあります。

「国家というものは、その始まるときに必ず荒唐無稽《こうとうむけい》かつ超自然的奇跡を置いてある。どの国家もだいたいにおいてそうだ」

というのです。このことが言いたいことは、つまり国家の始源が荒唐無稽であればあるほど、超自然的奇跡に満ちていればいるほどいいということです。

ということは、国家は論理の外であるから、だれも国家というものを論理的に論じることはできない。したがって、国家はひじょうに安全である。そういうことを言っているんですね。

ここには含んでるものがいくつかあるかと思うのです。その一つは、国家は神のつくったものではないという考え方です。神さまは森羅万象、天地、生き物、人間、風、そのほか全部つくったけれども、神さまは国家というものはつくってないのです。

司馬　そうですね。

堀田　したがって、国家というものに対しては神さまに責任ない。じゃ、その神さまがつくったものは何かというと、地域、地方というものをつくったんだろうという主張です。地域、地方というものは、それぞれに存在する理由がある。自然であり、かつなお理性的な存在であるわけです。自然だから理性的だと言えるでしょうけれどもね。したがって、地域、地方にあるものというのは、自然かつ理性的、運命的でもあります。

一方、国家というものは、つまり、地方とは別なものであるという考えのようです。これはなかなか含蓄のある考え方だろうと思うんですね。

司馬　モンテーニュは十六世紀の人だから、のちにフランス人が発明した国民国家の国家は知らないわけですね。

堀田　ええ、もっとまえです。国王国家時代。

司馬　ランドなのか、ネーションなのか、よくわからない時代ですね。

堀田　そうですね。

司馬　そこにひとびとがいて、一応、王さまがいる。その王さまの始源はわりあい荒唐無稽な伝説をもっている。

堀田　そうそう。

司馬　ステートは、かりに法による国家ということにしておきましょう。ネーションは、そこに人がいて王さまがあったら、しぜんに国とよんでいた。だけど、ステートでもってはじめて国家になった、法による国家。

日本は明治維新によって直ちに法による国家になったわけでないですけども、明治二十二年の憲法によって法による国家になった。

だから、これを近隣の国々に輸出したくなったんでしょうな。それはフランス革命を起こした連中が、フランス革命をドイツ人に教えたいと思ったことと似たような本能があった。日韓合併というのは、何から何までよくありませんけども、何か教えてやろうという革命の輸出意識の気持ちがどこか日本人にあったといえるかもしれません。

朝鮮の場合は、いわゆる近代国家というものをもってなくて、小さな明《みん》・清《しん》といった体制でした。李朝は明治四十年まで五百年、科挙の試験による官僚でもって農業国家を治めてきました。

日本でいうと室町時代に李朝が興《おこ》って、明治四十三年の日韓合併によって不幸な消滅を遂げるわけですけれども、李朝というものは、むろんネーションでしょう。ステートとはいえないですね。李朝の誇りがありますから、日本よりも整頓された国家であると定義づけることもできるかもしれません。現に、科挙の試験によって採用されたマンダリン（官僚）が治めるわけです。が、そのあとの残りの人々は膨大な人民のみ。

経済上はなるべく商業を興さないというひじょうに単純な、古代的儒教国家であることを二十世紀の初めまでつづけ、そして日韓合併によってステートになった。だから、明治維新の申し子であることは間違いありません。

しかし、そうした日本人の輸出意識が、韓国人には鼻について腹が立つというんです。それはそうかもしれませんが、私など李朝時代をみると、いくら儒教が古《いにしえ》を尚《とうと》ぶことが大原則であったとしても、日本の奈良朝を懸命に二十世紀までつづけてきたような印象があります。停頓こそ正義だったのです。

ヨーロッパ人の国意識

宮崎　いろんな国が、たとえば旧ソ連の中にも、東欧諸国内にもうまれてきました。どこかで独裁君主的な国がうまれたり、軍事独裁政権があったり、議会制民主主義がうまれたりした小さな国の大統領と称してる人の顔なんか見ると、これ劇画だなと思っちゃう（笑）。ついこのあいだまでああいう劇画を描いたら、「何を陳腐なものを描いてるんだ」と笑われるようなことがどんどん起こっていますね。

司馬　映画でいうと『駅馬車』の時代にもどったみたいですね。小さな国々は、世界が経てきた歴史をもう一回繰り返そうとしています。

宮崎　国連軍がそのたんびに出向いて、国家とはこういうものだ、というふうにみんなが鉄砲撃って教えるのでしょうか、イラクにやったように。

堀田　旧ソ連は主権国家連邦になったでしょう。私はこれはオスマン・トルコに似ていると思うな。オスマン・トルコというのは、最盛期にはギリシアからウィーンまで、イスタンブールからいまのクウェートまで、東は旧ソ連の中央アジア諸国までもあって、国名に地面の名前をつけようがない。地名抜きの国家です。旧ソ連邦の「主権国家連邦」というのも、これも地名がない。

司馬　しかしイギリスも、正規の国名は連合国という国名（United Kingdom）ですからこれも観念語。地名をつけるとまた騒ぎが起こる（笑）。

一定の地域にいろんな民族が住んでいても、どういうわけか、指導的な民族が出てくる。あれは不思議です。アフリカだって指導的な民族が出る。その指導的な民族のネーミングをかぶせると、他の民族が怒ります。

私は大阪の場末に住んでまして、地名が冠せられなくて東大阪市というのです。まわりを統合したんです。私など、たまたま小阪という町名があるので、小阪市にすればおもしろいじゃないかと思う。大阪があって、小阪がある。しかし、そんなことをすれば、枚方《ひらかた》やナニナニといった土地の住民が怒りだす。やむなく統合にあたっては観念的な名称になりました。

宮崎　栄町とか（笑）。

司馬　ロシアもそんなぐあいで、「主権国家連邦」と名乗るようになったのかなあ。

堀田　バスク[③]のことでですが、フランス・バスクとスペイン・バスクの国境のところに大きな石がありまして、裸の石ですけど、4＋3＝1と書いてあるんです。それはスペイン側バスク四県、フランス側バスク三県。この４＋３＝１であるというアピールです。

司馬　一つだということですね。

堀田　一つだからわれわれは独立しなければならんということで、バスクの騒動というのは起こるわけです。全体で六十万人ぐらいでしょう。

④バスク語というものは独自の言語で、他の言葉との系統関係がはっきりしなくて、周囲の言語から独立している謎の言葉のようです。いまの学説で、いちばんこれではなかろうかという可能性があるのが、⑤コーカサスのグルジア語らしいですよ。

司馬　コーカサスの谷間で話された言葉らしいというのがいまの学説ですね。

堀田　コーカサスは別名イベリアというんです。

宮崎　ややこしいですね。

堀田　ややこしいです。それでね、ヨーロッパの、つまり、前史といいますか、史前といいますか、ある時期はバスク語らしき言葉が、コーカサスからいまのバスクまでヨーロッパ全土を覆っていた時期があるらしいという話もある。

宮崎　⑥ケルトとはぜんぜん違うんですか。

司馬　違うらしいですね。

堀田　ケルトはあとからきた。

司馬　ケルトはスマートな金髪で、碧眼《へきがん》でした。散居を好んで大同団結しなかったから、組織力のあるローマにやられてしまいました。

堀田　イギリスにしても、あんな不思議な国はないですね。

五カ国フットボール競技会というのがヨーロッパにありますでしょう。五カ国といったって、イギリス国内で依然として対立している[7]アイルランド、[8]スコットランド、[9]イングランド、[10]ウェールズ、そしてフランスでしょ。

フランスがなんでそんなところに出てくるのかと言いたくなりますけどね。イギリスは長いことボルドーとノルマンディーを占領してたでしょう。それとどうも関係があるらしい。

司馬　それとも[11]ノルマンディーのフランス人がイングランドを征服し、王朝を開いたことがあるからかな（笑）。[12]百年戦争の原因となった……。

堀田　そうかもしれない。

司馬　それでイギリス語の中に七〇パーセント以上はフランス語を入れていますね。ほとんどの英語の重要な単語、たとえば文明語や社会科学的な言葉、哲学用語はフランス語ですものね。

だから、どうもわれわれ「日出づる国」か「瑞穂《みずほ》の国」か知らないけど、こういう話になると文化の重層に差が出て、ちょっと肩身が狭くなりますね（笑）。

堀田　たとえばフランスで試合があるでしょう。そのときには、プリマスあるいはドーバー海峡から、フェリーに乗って応援団がやってくるでしょう。その応援団は、赤十字の旗を掲げてやってくるんです。この赤十字の旗というのは、イングランドの旗なんです。

司馬　やっぱり彼らは、対立している共通項として国王（女王）を擁《よう》している連合王国の民だと思うより、イングランドの人間だというほうがやっぱり興奮しますわな、お互い結束するでしょう。

堀田　五カ国のなかではイングランドのファンというのがいちばんましですよ。競技会場のあばれ方のなかで。

司馬　へえ、そうですか。

堀田　いまのイギリスの旗というのは、四カ国の旗をごちゃごちゃにまぜたユニオンジャックになった。

あそこにジェームス・オルドリッジ[13]という作家がいまして、わりあいに親しいんですが、その人といろんな話をしてましたら、ヨーロッパのどこへ行っても、その国の言葉はだいたいの見当はつくと言うのです。ギリシア語圏であるロシアへ行ったって見当はつくけれども、ウェールズへ行ってウェールズ語[14]だけでやられたらもうお手上げだ。さっぱりわからないって言うんです。

司馬　ウェールズはケルト人ですからね。言語の孤島だけに、かえってその独自の言語を守っているんでしょう。だけど、イギリスとしては、やはり連合国ですから、皇太子をプリンス・オブ・ウェールズという名にしたりして連合としての配慮はしてますな（笑）。

堀田　ウェールズもずいぶんいじめられたんですよ。ウェールズ語を教室でしゃべると、首にノット・イングリッシュという看板をぶら下げさせられたらしい。それはつい近ごろまでのことでした。

そういうふうに弾圧するのを、British imperialism（英国帝国主義）というんだね。私はそれを聞きまして、インピアリアリズムというのはそういうことにまで適用されるのかと思いました。沖縄でもむかし学校でウチナーグチ（沖縄弁）をしゃべると、やはり首から看板をぶら下げさせた。ジャパニーズ・インピアリアリズムだ。

司馬　もっとも、明治維新を起こした鹿児島県の小学校でも、戦後さかんに標準語運動が行われました。小学生たちは胸に「普通語をしゃべりましょう」という布ぎれをつけていました。

さて、話を変えるとして、小説の題名も作家の名前も忘れましたが、昭和四十一年ごろに吉田健一さんが翻訳した本で、上等の小説ではないんですけど、イギリスを知るのにはいい小説だと思うのがあります。

第二次大戦が起こり、にわかに海軍士官をつくらなきゃいけないために志願者を受け入れます。第一次大戦のときは、貴族やオックスブリッジ（オックスフォード大とケンブリッジ大）を出た人達が、〝高貴《ノブレス》には義務《オブリッジ》が伴う〟ということで志願しましたが、第二次大戦のときには高貴《ノブレス》もずいぶん裾野がひろがって、編集部員だとか銀行員だとかいったホワイト・カラーたちが、ほんの数カ月の教育を受けてにわかにオフィサー（士官補）になる。そしてみな潜水艦をやっつけるための小さなボートに乗るのですが、船なんか動かせない。下士官に一人ベテランがいるだけで、あとの水兵はじめ、みな素人と同然。それが数カ月たつとなんとか船乗りらしくなって、やがて役に立つ。

そういう自分の体験を書いているのですが、その主人公が休暇でロンドンに帰ってきたとき、タクシーに乗ったら運転手がじろっとその士官補の姿を見て、「おまえはほんとに愛国をやっているのか」とからかいはじめる。運転手さんがウェールズ人なのか、コクニーをつかっている下町の人かどうか知りませんが、連合王国への忠誠となると、ニヒルに突っかかってくる人たちがいるのですな。そういうことをさらさらと書いているのです。つまり、イギリスは複雑だということです。

戦争が始まったら、大学出て銀行に勤めてるといったクラスの人たちは、準貴族みたいにして戦争に志願して行く。だけども、フランスでサッカーの試合があったら、ドライバーのようなクラスの連中が、古い赤十字の旗を掲げて押しかけていく。

イギリスが帝国主義を確立させて大英帝国になっていくプロセスの中で、そういう人々に愛国心を植えつけていったところもある。

いまのメージャー首相は、貴族階級でなく、サーカス芸人の息子で、高等教育を受けていない。庶民のそういう世界から出てこられた首相ですから、階級をなくしましょうと言っている。これは、イギリス政治史上最初の発言ではないですか。しかし、イギリス社会は階級なき社会の実現を許さない構造になっていますから、おそらくムリでしょうが。

堀田　スペインに住んでいたおかげで、貴族階級の人たちに接さざるをえなくてわかったのですが、ヨーロッパ人というのは、大ざっぱにいえば二種類ある。

一つは貴族を含む上層階級で、親戚がヨーロッパじゅうにいる。ベルギーにもボンにもアムステルダムにもパリにもジュネーブにもいるという、そういう仕掛けになっている連中です。この連中は、戦争が起こると困るわけです。インターナショナリストというより、むしろコスモポリタンです。

もう一つの中産階級から下というのは、これはナショナリストです。カーニバルというのがあるでしょう。あれはキリスト教以前のものですけど、カーニバルとはだいたいにおいて下町と、それからギルドのお祭りです。そこへは貴族や上流階級が参加できない。だけど、ああいうばか騒ぎは楽しいですから、その行列が通ると、貴族や上流階級は、窓からうらやましそうにのぞいて見ているわけです。

司馬　そうでしょうね。

堀田　いまのイギリスの王室はドイツのハノーバー家[15]からきたプロテスタントの人たちです。第一次大戦中に、ドイツに由来する家名を廃してウィンザーと改称しました。つい近年まで、ドイツのしっぽをつけていたわけです。第二次大戦で連合軍の東南アジア最高司令官になり、戦後、最後のインド総督をつとめたマウントバッテン[16]という貴族は、あれはドイツのバッテンベルグ家から来た人なのでしょう。

スペインの王さまはといえば、フランスのブルボン朝の人で、嫁さんのソフィーアさんはギリシアの人です。

上の階層はそういうふうに流動構造になっている。だから、常に平和でありたいと思っている。ヒトラーみたいなのが出てきて、「ガンバロー」とあおったときナショナリスティックに頑張っちゃったのは、中産階級とその下だった。そういう構造になっている。
司馬　上のほうの人は、イギリスをステートだと思って流動的に暮らしているくせに、イギリスを守る。下のクラスの人はネーションだと思っているところがありますでしょう。背[17]も私ぐらいの人が多いですな。あれ、おかしいですね。
堀田　ひょっとすると人種も違うかなと思うことあります。
司馬　だけど、言うと怒ります（笑）。日本だって背の低い人と高い人がいるじゃないかと。

EC統合はレジョナリズムを強める

宮崎　堀田さんは、国境がなくなるというか、レジョナリズム（地方分権主義）という観念を示されていますが、そうなるとこの世界はどうなるのでしょうか？
堀田　一九九二年秋にEC統合になって、国境をほとんど取っぱらうということは、ある意味では中世に戻るということでもあるんです。中世には国境がなかったですから。
司馬　なかった。少なくともフランス革命以前に戻る。国民国家という意味での近代国家は、近々二百年まえにフランス革命が発明したものですから。
堀田　そうなんです。フランス革命以前に戻るといいますか、そういう一種のユニバーサリゼーションです。

司馬　ヨーロッパという概念ですが、白人種たるコーカソイド[18]の人たちには、自分がヨーロッパ人であるということは、よほど大切なことのようですね。ベルリンの壁が崩れたのも、心理的には、このまま推移したら東ドイツを含めて東ヨーロッパは全部非ヨーロッパ人になってしまうという不安があったからではないでしょうか。

つまり、彼らが潜在的に思っているヨーロッパ人というものは、ギリシア、ローマ以来のメタフィジカルな文明を創った人種であり、個人の人格は尊重される反面、個人にかかる経費——ヨーロッパ人は一人あたりカネがかかりますからね、音楽会に行ったり、広い住居空間をもっていたりしてね——ともかくも他のアジア人、カラードと比べて存在として違うという意識があるでしょう。

ところが、東ドイツの人々は、このままソ連に支配されてたらわれわれは一種の非ヨーロッパ人になってしまう。西ドイツのテレビを見てたら、あっちはヨーロッパそのものの魅力で、テレビに映る背景ひとつ見ても違う、これはたいへんだという気持ちが、ベルリンの壁が崩れる基にあったんじゃないかと思うんです。

堀田　「ウィ・アー・ヨーロピアン」という言葉遣いをする人たちというのは、東欧、中欧、あっちのほうだけです。

司馬　東欧、中欧だけにとくに言いたがる（笑）。ひじょうに魅力的な言い方。だから自分はセルビア[19]人だと言うよりも、クロアチア人だと言うよりも、ヨーロピアンだと言いたい。

だからそのイメージ、つまり一種の言葉の情念があるかぎりは、国境が少し緩やかになってもＥＣは成立すると思うのですよ。

「ウイ・アー・エイジアン」だと言って、東京の人がインドネシア人と握手して抱き合うかというと、これとはずいぶん違うと思いますね。

宮崎　「アジア」というくくり方そのものが、ヨーロッパのほうで決めたことで、よけいなお世話だという感じが私なんかにあるのですけど。「アジアの孤児になる」というのは、言葉の問題にすぎないんじゃないかなという気がするのですが、いかがですか。

司馬　日本がアジアの孤児であることは、私は鎌倉幕府の成立から決まったと思うんです。

鎌倉幕府の成立で、中国や高麗、その他のすべてのアジアとは、体制として別な国民になった。鎌倉時代から、ヨーロッパよりも精密な封建制がその後にはつくられはじめるでしょう。とくに江戸時代。三百ほどの小さな藩が互いに学問と技芸を競い合う。あるいは多少の民主政治のいろいろなセオリーを開発したり、殖産興業をやったりして、競い合った。私はけっして江戸時代に引っ越ししたくはないですけど（笑）、それでも封建制のあの時代を経たということは、日本の歴史には大きな意味があると思うのです。

ところが、インドネシアもフィリピンもその時代をもってないものですから、だから「ウイ・アー・エイジアン」という一つの言葉でくくれないところがある。

ヨーロッパの場合は、ポーランドはローマンカトリックですから、自分たちとスペイン人、かつてのイギリス人とは全部友達だし、同じカトリック文明を共有してたんだということがいえると思うのです。

堀田　ＥＣ統合というのは、経済的にＥＣ全部を平準化してしまうわけでしょう。そうしますと、今度は逆にローカリズムといいますか、レジョナリズムといいますか、そういうものが住んでいる民族のエネルギーとなってどっと出てくる。これはひじょうに健康な、いいあり方だと思うのです。

極端な例ですが、私の住んでましたバルセロナ（スペイン）ですが、そのカタルーニア地方[20]にあるバルセロナ大学は、カタルーニア語でないと講義しないんです。だから、スペイン人のマドリッドから来た学生[21]は、一年間、カタルーニア語を勉強しないとしょうがないんです。カタルーニア語というのは、プロヴァンス語、オック語の兄弟ですから、半分はフランス語なんです。

バルセロナのテレビジョンは、一つのチャンネルは全部カタルーニア語での放送です。同じことを、ピレネーを越えてフランスのトゥールーズへ行きますと、トゥールーズのテレビジョンは、一チャンネルはオック語だけで放送しています。

オック語というのは何かといえば、昔むかし、フランスというのはだいたい、三つの言葉でできてたんです。一つはパリを中心とする北のほうのオイール語、二つめはトゥールーズ、ボルドーを中心とする南西部のオック語という言葉。「ウィ」はオイール語の「オイール」というのが原型なんです。南のほうは、イエスということを「オック、オック」と言った。三つめはリオンから南のプロヴァンス語。

ところが、フランソワ一世[22]というおじさんが、一五三〇年代に三つの言語をそのうちの一つのオイール語で強制統一しちゃった。権力が及ぶと同時に、オイール語も広がっていったのです。

たとえばピレネーの山の中で私はうろうろしてまして、ホテルで——ホテルといっても旅籠《はた ご》屋《や》ですが、「あしたはトゥールーズを通ってボルドーへ行きたいけど、この山道のなかで近いのはどこだ」って聞きましたら、「トゥールーズなんてところはない」と言うんです。「なんて言うんだ」と言ったら、「トローサと呼べ」と言うんです。それからもう一つ重ねて、「ボルドーなんていうところは存在しない」と言うんです。「ボルデウと言え」って。これはオック語なんです。そういうところまでレジョナリズムというものが出てきました。

そのレジョナリズムというのは、それなりのレーゾンといいますか、理性を備えているんです。あの人たちの頭には、フランスは人造国家だけれども、われわれのレジョン（地方）は神がつくったものである、そういう考え方があるようです。

そして、ヨーロッパはだんだんレジョナリズムの塊になっていくと私は思う。

司馬　それはある意味では始末がおえなくなりますでしょうね。

堀田　ええ、そうです。しかし、ヨーロッパの場合、ここではヨーロッパの場合と限定して強調しなければなりませんが、ユニバーサリゼーションとレジョナリズムとのバランスがとれていくと思いますよ。

司馬　アフリカでも中近東でも行われていることですが、どういうわけだか指導的な部族が出てくるんです。だから、単純にアフリカ万歳ではいかなくなる。指導的な部族が他の部族を圧迫しはじめるということが、これからの世界です。

二十世紀の初めまではイギリスが統治していたから、息をひそめてそういうことはなかったからよかったですけど、これからはレジョナリズムが今後の世界を騒がすだろうと思います。

堀田　連邦崩壊後のソビエトユニオンの状況と同じですね。

司馬　おっしゃるように、フランス共和国は人工の国であるがゆえに、その根っこの土地の言葉をふだんは使いながら、いざパリへ行ったとき、「おれだって、パリのきちっとした言葉をしゃべれるよ」とかいうことで、ひじょうにユーモアとしてレジョナリズムが成立している。

ヨーロッパ社会は、十五世紀ぐらいから六百年の間にかけて成熟しました。われわれ日本だって、十五世紀から六百年かけてますから今日《こんにち》こうあるわけですけど、十五世紀から六百年かけなかったところがあります。

かけなかったところ——たとえばイスラム圏——は何にかけてたんだといったら、アッラーの神による個人の安心立命のみ。宗教は尊いんですけども、これだけで社会化しなかった。どうやってわれわれは飯を食いますかということが、アラブでは高度に社会化しなかった。

今日、石油でもうかるようになって社会化しはじめると、よそから大量に戦車を買い入れて、にわかに二十世紀前半ふうの重国家をつくる。そして戦車の多い国が威張りはじめる。

だから、人間は度しがたいですな（笑）。むろんアラブは偉大な民族ではありますが。
私どもは人類は一つであるべきだという思想に励まされて生きています。しかし、世界は決して均等に進んでないということを、たとえばごく最近ではフセインが教えてくれて、びっくりしています。

宮崎　私の歴史観は、どうも単純すぎてせいぜい五十、六十年くらいの単位でしか、世界や民族をみていないふうがありますね。

北方四島の問題

堀田　北方領土の四島問題は、いまに民族問題になりますよ。日本の中のロシア人という、そういう民族問題が北方四島で出てくるんじゃないですか。もし日本に四島が返ってきたとしても。

司馬　あそこで住民投票したら、日本にはいりたいと言いだす人が二〇パーセントから三〇パーセントいるかもしれません。

堀田　多少いるでしょうね。
私はスペインにいたせいもありますけど、ジブラルタル[23]の問題というものにひじょうに関心があるのです。

　ロンドンのエリザベス二世の王室は、夏になるとスペインの国王のマジョルカ島の別荘へダイアナ妃なんかもみんなが行ってますけど、エリザベス二世はマドリッドを正式に訪問できないんです。それからスペインのドン・ファン・カルロス王はロンドンを公式に訪問できない。それはなぜかというと、ジブラルタルがひっかかってる。

司馬　あそこはまだ英国領だからですね。

宮崎　しぶといですね。

堀田　それは一七一三年のユトレヒト条約というスペイン王位継承戦争の講和条約で譲ったわけでしょう。これでイギリスの優勢が決定的になったわけですが。その後スペインの権力者たちはあらゆる努力を傾けてあの半島の[24]岩峰を取り返そうとしたわけです。フランコに至っては、第二次大戦中の連合国同士なのにジブラルタルへ水道供給を拒否しちゃった。

　だからいまは、海側から大西洋へ抜けますとあの岩峰の裏が見えるんですが、岩の裏は全部コンクリートでベチャーとなってる。雨水溜めるために。

司馬　ほう、雨水で飲み水確保ですか。

堀田　近ごろのNATOへスペイン軍が参加するときにも、その代わりにジブラルタルを返せと交渉した。しかしダメ。さらにECへ加入するときにも、はいるから返せと訴えるがダメ。

　結局、住民投票をやってみると、三分の二がスペインへ帰りたくない。

宮崎　貧乏になるだけですからね（笑）。

堀田　ですから、住民投票というのはやっぱり必要なんじゃないでしょうか。北方四島でも。

司馬　これはね、手続き上絶対に必要です。今年（九二年）は沖縄復帰二十年ですが、沖縄返還のときになぜ住民投票しなかったか。数字をきちっとしとかなければ。日本国領土に戻るときに、反対者がどのぐらいいたということをはっきりしないといけないものなのです。あのころは、やみくもに本土側が日本返還をやった。

もし北方領土が――まだまだめったに返りませんが――返るまでにはロシア人の政治家が一人二人暗殺されることを、ロシア人もまたわれわれも覚悟しなきゃいけないと思うのです。北方領土なんて、生産性もなんにもない小ささとはいえ、ロシア人からみると自国が大国土であることとは別問題だと思います。

エリツィンが日本に売った、という思いに民衆心理が流れると、かれの運命はどういうことになるかわからない。だからロシア人のむずかしい心理まで考えてしまうと、北方領土問題はそうたやすい問題ではないと思うんですが。

しかしやがて返るでしょう。返ると思うんですが、そのときはきちっと住民投票しなければいけませんね。それを基礎にして四島のあり方を考えなければ。

中国の領土問題にしても、われわれが静岡県一つを割譲するなんていうことは考えられないように、版図の一ミリだけ欠けさせても問題は起こるでしょう。

これらの問題を世界会議を開いて、そこで「なんでもないことじゃないか」と全世界が納得させるようにしなければなりません。たんなるシンポジウムの会議じゃなくて、権力をもった世界会議ですね。これは千日やってもいいと思うんです。

堀田　カトリックの公会議[25]なんていうのは十三年もやったことある。

司馬　そりゃかれらはやるでしょう。会議は結論を得るよりプロセスの論理とか修辞に楽しみや価値を見出しているようですから（笑）。

宮崎　こうやって考えてみると、国家ってなんでしょう。なんのために国家ってものはあるんでしょうか。

司馬　なんにしても政治が人間を楽にさせるとか、人間を解放するとかなんとかいう幻想は、どうも人間は醒めたようですな。政治万能というものに……。

宮崎　政治というのは見えなくていいんだという。ゴミだけちゃんと毎日取りにきてくれればいい。

司馬　ゴミの処理と水道の水を出して、救急病院をつくって。

宮崎　夜警国家ですね。人の生き甲斐について国家がもううるさいことを言わないでほしい。

司馬　言うことないです。鼎談会場のこのホテルだって、警備は自分の金で警備員を雇ってやってるわけでしょう。だから警察はここまではいってこないわけですから、日本は相当うまくいってる国ですよ。ホテルから外へ出て、何か私がかっぱらいしたら警察に捕まるだけであって、このホテル内では、従業員がやわらかく私を諭してくれるそういう国だと思うんですよ（笑）。

乗り物の文化

宮崎　イタリアというのは、国としてはメチャクチャだけど、なんか住むのにはよさそうな気がするんです。そうでもないですか。

堀田　そのようですな。

宮崎　何度行っても好きです。いやな印象がありません。あそこは。

堀田　比較的ということで言えば、自由そのものです。何事にも裏があるということが公認されている。

司馬　自由そのものですか。

宮崎　あの国のGNPなんかわからないそうですね、絶対に。

司馬　わからないらしい。計算方法を変えないと（笑）。

宮崎　どのくらい裏にもぐってるか……。

司馬　統一せる国家だというのは、ムッソリーニの時代だけですもの（笑）。

堀田　いや、統一しなくていいんですよ。いちばん自由な国かもしれない。脱税[26]も自由だ（笑）。

宮崎　だから相当きちんとして、自分で警戒して生きないとだめですね。

堀田　まったくそのとおりです。警戒して自分の自由を守る。

宮崎　日本ふうにボケッと日向《ひなた》で昼寝してるような雰囲気では生きられないと思うんです。でもなんかやっぱりイタリアはいい。あの食べ物屋のサービスのよさだけでも。

司馬　ああ、なるほど。

宮崎　店長が出てくると、じつにこうおいしそうな顔して出てきます。

堀田　フィレンツェの街だって、自動車さえ禁止すればあんないいところない。

宮崎　自動車禁止すべきですね。もうローマから自動車をなくすことだと思いました。ほんとに増えてます。メッチャメチャになってる。表でメシ食ったら、このすぐ脇を車通るんです（笑）。

司馬　そうですか。

堀田　ヒューマニズムとはなんのことですか、という質問を受けたことがあるんですが、それについての答えは、私のヨーロッパでの経験ですと、高速道路で三車線ありますが、高速道路でトラックは決して追い越し車線にはいってこない。

トラックは、はしっこのほうに数珠つなぎになって走ってます。追い越し車線は乗用車専用、人間のために残しておく。トラックはモノを運ぶ。だからモノよりも人間が優先するのがヒューマニズムだと答えたのです。

司馬　そうですね。モノよりも人間が優先でないといけませんな。

堀田　ところが日本ではモノのほうが偉いんだ。

宮崎　モノを運んでる人間はほかの人のためになってるんだというのがあるんですね。

堀田　そもそもヨーロッパの車は馬から出発しているから、フランス語でブレーキのことをfrein《フラン》というんです。フランというのは、馬のこれ……。

司馬　ああ、馬の馬銜《はみ》。形は知らず、漢字だけ覚えてる。

堀田　パリへ行って自動車を買うんで、フランス語の仕様書を一生懸命読んで覚えたんです。私は運転しないけど、わが家内に説明しなきゃならんでしょう（笑）。

司馬　これまで自動車が遊びであったことは日本ではありませんね。

堀田　ないでしょう、それは。実用でせいいっぱいでしたから。

宮崎　私は、戦後、米兵がジープに乗っているのを見て、日本はジープに負けたっていう印象がものすごく強かったんです。

司馬　あれがきたときには、ほんとに「負けた」って感じでした。

宮崎　ええ。エンジンがすぐかかるとか（笑）。

司馬　ジープというものは、やっぱりアメリカの象徴でした。もっとも、ソ連も第二次世界大戦のあとかちょっとまえぐらいにずいぶんもらったわけだけれど。

堀田　昭和十七年に、私は海軍の軍令部欧州戦争調査部というところにいたんですが、そこの書類に Jeep というのが出てきて、これはなんだ。Jeep とはなんであるか。これが大問題になりました（笑）。わからない。

司馬　これはたいへんだ。
宮崎　わからない。どうしてあの名前になったのかいまだにわからない。
堀田　Jeep とはなんぞやと、立派な制服着て、短剣ぶら下げた海軍の士官どもが議論してる。
司馬　私は戦後にアメリカの刊行物を読んでいまして、ピンナップということがちっともわからなかった。いまではどんな子供でもピンナップという意味はわかりますけど、字引を引いても出てこない。言葉というのはそんなものです。
堀田　わからないといえば、大嘗祭《だいじょうさい》のあとで天皇が馬車に乗って天照大神《あまてらすおおみかみ》のところへ行くというのは、どういうことなんですかね。
司馬　鹿鳴館《ろくめいかん》ですな。
堀田　神主さんが馬車に乗って鹿鳴館へ行くわけだ。
　それよりもっとおかしいのは、即位式の帰りのパレードのときに乗ったオープンカーは、ツードアのロールスロイスでしょう。ツードアのロールスロイスというのは、ヨーロッパではだれが乗るかといえば、頭が白くなった成り上がりの社長さんが、横におめかけさんだか秘書だかわからん女の子を乗せて、パリからマルセイユまで八百キロを三時間半ですっとばすというそういう車です。
　あれはどういうお見立てなんでしょうか。だから、運転手の席を前へ押してから、皇后と二人で後ろに乗って、そのあとから運転手が戻して乗る、あんなことをよく思いついたものです。

司馬　そういう類の車なのですか。

宮崎　いま、日本の外車数のトップのドイツの自動車は、人命尊重ってことで、ありとあらゆる手管を使って車をいじってるでしょう。あれをみてると、国家目標が「交通事故をなくそう」ということに移ったのかなと思うぐらいすごい。何か目標をもたなければいけない国民という、そんな感じがします。これだけ安全だが、事故のときはヘリコプターを飛ばして高速道路から怪我人を運ぼう、医者乗っけようという具合です。そのやり方は見習おうと思うより、異常な感じがします。

堀田　異常な感じがする。ドイツという国の組織は、なんでもかんでもきちっとするでしょう。

会合があっても私みたいな人間はバスに間に合わなかったりする（笑）。そのバスがどっかに出てってしまうと、あとドイツ人は私をどうしたらいいのかわからない。次の手ってものがもてない。どうしたらいいのかわからないのです。

司馬　ドイツ人からみれば、日本人が間に合わないなんてありえないって言うな（笑）。

堀田　ドイツといえば、横道にそれるけど、東西ドイツの合併によって、西ドイツが東ドイツの軍隊を接収してたとき、いっしょにミグ29を四十機接収したわけです。

ミグを調べてみたら、これがアメリカのF16なんかよりずっといいということがわかって、F16はやめて、ロシアからミグを買おうっていう議論になってるらしい（笑）。

宮崎　ずっと安いでしょうしね（笑）。

司馬　船のことでいいますと、日本の[27]一等巡洋艦というのは格好よかったです。一万トン級の軍艦で、攻撃力は戦艦並み。そのかわり、鉄板を薄くしてあるわけです。やたらと大砲を積んでいまして、兵員の居住区は貧しい。

[28]平賀譲さんという後に東大の総長になった海軍の造船官の人が設計したものですが、昭和十二年の英国の戴冠式に朝日新聞の特派員として[29]徳川夢声さんが一等巡洋艦に乗っていきました。艦名は「足柄」でした。天皇の名代は秩父宮さん（ご夫妻）で、こちらはアメリカのシアトルまで日本の客船「平安丸」で行き、アメリカを横断し、イギリスのサザンプトンまで大西洋横断の豪華客船で渡ったのですが。

世界一の海軍《ネービー》だったイギリスの士官が、「足柄」を見てあれこそ軍艦だ、飢えた狼のようだ《ライク・ア・ハングリー・ウルフ》と言ったのだそうです。確かに日本の一等巡洋艦というのは格好よかった。

日本の一等巡洋艦のありようは、いまの日本そのものです。戦闘準備だけできてるけど、居住区というバケーション部分はだめ。しかし、日本人はそうでなかったらしょうがないんじゃないか。逆だったら困る。

宮崎　私もずっと日本の艦は格好いいと思いつづけていました。しかも、それは世界一般の考え方だと思っていたんです。

司馬　でも、違うんですね。

宮崎　違うんです。世界で最も醜い船とよばれている、ブレジネフ時代のソ連の軍艦がそうなんです。悪の巣窟みたいで、悪魔の砦《とりで》という感じなんです。だけど、見ようによっては、ものすごく格好いいわけです。国が滅びるまえには、軍艦というのは恰好よくなるのでしょうか。

司馬　そうかもしれません。

宮崎　イギリスの軍艦なんて、ぜんぜん格好よくないです。

堀田　ワシントン軍縮会議までのアメリカの戦艦なんて見られたものじゃなかった。

司馬　大阪の通天閣みたいなものが、おっ立っている。

宮崎　時計がついてましたね。

堀田　私は中国へ行ったとき、向こうの人が日本には軍国主義が復興してきていると言うので、軍国主義はないけども、少なくとも軍艦主義は残っていると言いました。

日本の軍艦は居住性は最低だったが、戦闘能力は最高、と。

宮崎　軍艦主義には思い当たるフシがありますね。自分たちの職場でのことですが、非常事態宣言が大好きですし（笑）、仕事が進まなくて困ると、真っ先に個人的な時間を削るのを当然としています。

司馬　アメリカの第七艦隊（横須賀港がホーム・ポート）の旗艦というのは、普通なら戦艦大和《やまと》級の大きい艦のはずなのに、小さい艦でして、その代わり電子機器がいっぱい積んであって、アンテナが林立している。そこに全艦隊の司令長官がいる。

その旗艦の名前は「ブルーリッジ」、つまり青い山脈。そして軍艦の歌、曲というのが石坂洋次郎さんの『青い山脈』の映画の主題曲。このこと、みんな知らないですね。その旗艦

「ブルーリッジ」が進水した日に流れました。

宮崎　それは、イギリスがフランスとのワーテルローの会戦で、熊の黒い毛皮の帽子をかぶっていたナポレオンのオウルドガード（親衛隊）を破った記念に、バッキンガム宮殿の衛兵が、それと同じ、帽子《ベアスキン》をかぶっているのと同じじゃないでしょうか。「ミッドウェー」というのや「オキナワ」「イオウジマ」という軍艦がありましたし、勝った相手国からの戦利品としているんじゃないでしょうか。

司馬　そうでしょうね、それにしてもどうして「ブルーリッジ」の名を軍艦の名前に採用して、曲まで使っているのか、というのがいまのアメリカを解く小さな鍵だと思うのです。

宮崎　「青い山脈」を戦利品として持っていったのかどうかわかりませんが、おもしろい鍵ですね。

司馬　江戸末期、日本の浦賀にきたペリーの外輪フリゲートの艦名は、「サスケハナ」というインディアン語でした。だから、アメリカというのは初めからそういう系譜があったのかもしれません。

宮崎　ヨーロッパの海軍も、相手の船を奪うとその船名をそのまま引き継ぎますね。

司馬　未開人が、敵の酋長の首を切ったら、こいつは英雄だからといって血を飲んだり、心臓を食べたりするのと同じかもしれません。

宮崎　でも、「青い山脈」が流れるというのはすごいですね。やはり日本を占領したときの記念品でしょう。

司馬　記念かもしれない。「青い山脈」の曲そのものが、じつはアメリカに占領されて自由がやってきてうれしいという曲でしょう。私の好きな歌ですが。

つまり、新しい上着の自由よこんにちは、いままでの旧日本の古い上着よさようなら、といっているわけです。実際は与えられた民主主義ですから、オキュパイド・ジャパンの歌でしょう。

私は右翼じゃないですから、「青い山脈」礼賛であるわけです。だから、いい気持ちになったものの、なぜか不思議でした。

宮崎　初めて聞きました。

3　イスラムの姿

イスラムの根っこ

堀田　日本に滞在中のイランの人がひどく多くなっているのは、イランにシャー、つまり皇帝がかつていたでしょう、同じく皇室があるからそれでイランに対しては、ついこのあいだまではビザ不要だった関係なんです。

司馬　問題が起こるようになってから知りました。

宮崎　石油のときの配慮だったんでしょうね。石油が欲しかったから、イランを怒らせちゃいけないって気でやった。

堀田　だからイランからどんどんビザなしではいってきた。

宮崎　外国人によるスリが出たりなんかしてますのも、これも国際化だなと思ったりしますけど（笑）。

堀田　インド、パキスタン、ベトナム、インドネシア、ああいう国はみな労働ビザがいるでしょう。ところがイランだけいらなかった。

司馬　イラン人はちょっとつきあいにくいところがありますね。宗教のせいもありますが、自己の利益についての主張が過剰で、共通の場で議論はしにくいようですね。

堀田　できません。私はアジア・アフリカ作家会議をやってましたから苦労しました。議論のテーマ、つまり議題の設定すらできない。

司馬　いけませんなあ。

宮崎　ベルリンの壁が壊れ、東西ドイツの合併で、人類に光明が見えてきたのかな、と思ったとたんに、イラクのクウェート侵攻があって、私は冷水をぶっかけられた感じです。イスラムの世界は、どうもわかりにくい。

司馬　世界というのは、国々が決して均等に進んでいないということはみなわかっているんですけども、なぜフセインは、あんなばかなことをするのかと言って非難する。

ところが、アラブ世界がそうしたことをするには、歴史的な進歩の違いがあるからでしょう。キリスト教世界、つまり、ヨーロッパは地動説問題が起こるそのまえから、それぞれの時代にそれぞれの問題と血みどろになって真っ正面に対決してきました。

簡単に言うと、ヴァチカンの法王さまや枢機卿さんは、産業革命が起こるとそれと対決し、マルキシズムが興るとそれと対決し、いまなお何かと対決している。ところがアラブで興った[1]イスラム教というのは、ほとんど世界の人類思想の変化と対決することなく、八世紀ぐらいのままでいま現在おるわけでしょう。だから、どうしても他の世界の人々と歩調が合わない。あるいは歌の調子が合わない。世界といっしょに合唱できにくいところがあります。

そのようなことを認めたうえで、世界のことを考えなきゃいけないのですけど、認めてしまうと、どっちかに足すくわれます。キリスト教、ヨーロッパ的世界に足すくわれたら、フセインはけしからん、になります。

フセインの側に足すくわれると「フセインさま、よろしく人質をお願いいたします、五人でも六人でもいいから解放してください」となって、それは、ハイジャッカーにおべっかを使う人と同じ感覚になってしまう。だから、これはひじょうに複雑な根っこがあって、われわれはどうやっていいかわからないのです。ともかくこのイラクのクウェート侵攻事件は世界史上はじめてですから、対応のしようがない。

堀田　イラク・クウェート問題というのは、オスマン・トルコのいちばん後のしっぽだと思うんです。

司馬　問題としてはそうですね。

堀田　オスマン・トルコというのは、若い読者に少し説明しておいたほうがいいと思って言うのですが、ビザンチン帝国の[2]コンスタンチノープルがオスマン・トルコにより陥落したのは一四五三年で、それ以後トルコを中心に大帝国、大多民族国家をつくったわけですね。アジア、ヨーロッパ、アフリカの三大陸にまたがって。

東のほうは、タジクスタンあたりとクリミア半島、コーカサス一帯全部、いまのアゼルバイジャン、アルメニア、トルキスタンのあたりまで、北はというとウィーンの郊外まで。だから、ギリシア、ブルガリア、ルーマニア、ハンガリーなどが全部含まれてしまう。西のほうはエジプト、モロッコ、南はいま問題になっているサウジアラビア地区ぐらいまで。イラクはもちろん含まれていました。

それでクウェートというのは、かつてイラクの一州であったことには間違いはない。あそこはイギリスの保護国だったので、イギリス軍がいたおかげでついこのあいだの一九六一年に独立しちゃった。それからオスマン・トルコ大帝国の瓦解の過程でいえば、一八二一年にギリシアの独立から始まったんです。それから、第一次大戦が起こり、それに加わって敗れた。

第一次大戦が起こった理由は、オスマン・トルコの後釜にバルカン半島に座ったのがウィーンのハプスブルグ家のフェルナンド大公という人だったもので、これをセルビア人の民族主義者が撃った。その騒ぎにヨーロッパの大国がはいってきて世界大戦になった。第一次大戦中には、トルコ支配に反対する[3]アラビアのロレンスなどという英国人が出てきて、アラビアのあたりを暴れまわったわけです。

だからオスマン・トルコの側からみれば、[4]バイロン卿だの、アラビアのロレンスなどに対しては「まったくよけいなことをしやがって、何をこしゃくなイギリス人め」という気持ちだったろうと思うのです。

それから〝博愛精神の元祖〟ということでたいへんいいことになっているナイチンゲールなんていうおばさんも、ロシアがトルコ領に侵入し、クリミア半島を回復しようとしたとき（クリミア戦争）に看護婦としてきた。あれはトルコ軍と英仏軍が同盟していっしょだった。けれど、瓦解寸前のオスマン・トルコ側からみたら、やはり「何をこしゃくな女」といったことだったろうと思うのです（笑）。

だから、日本の世界史の教えかたでいちばん弱い点は、トルコ・ペルシア文明というものを全然教えてないことですね。世界をみるうえでそこが大きな欠点なのです。

ひじょうに簡単な例でいえば、ベートーヴェン、モーツァルト、シューベルトにはそれぞれ「トルコ行進曲」という作品がありますね。あれはやはりトルコ文明というものに対する〝最後の賛歌〟なんです。ゲーテには『西東詩集』⑤という、ペルシアを模したものもあります。それから西洋音楽というけれども、楽器は全部ペルシアから出たものじゃないですか。

司馬 ペルシアか北インドでしょうね。

堀田 ええ。だからいまのヨーロッパ人諸君には、トルコに対する恐れなんていうのはまったくありませんけども、バルカン半島の人々にはまだまだありますね。

司馬 あるでしょうね。

堀田 ありますね。だから、このあいだ、ブルガリアで革命が起こったとき、最初に出た言葉が、なんと「トルコ人を追放せよ」でした。したがって、世界史の見方というものを、ヨーロッパ側からだけ一筋でみるのはもうやめたほうがいい。

複数の見方といったって、いまはまとめがたいわけですけども、そのうち将来五十年ほどたったら、なんとかそうした見方にも格好がついてくるんじゃないでしょうか。

司馬 オスマン・トルコというのを考えると、なぜ私ども日本語と同じウラル・アルタイ語族のチュルク語の人々（トルコ人）が、あのへんまで行っているんだろうということが気になることです。

トルコ人は、紀元前モンゴル高原にいた匈奴《きょうど》であったかもしれない。東洋史でいう丁零、鉄勒、突厥は、トルコとかチュルクとかいった音を漢字化したものです。

遊牧国家として西方にむかって膨張し、いまのトルコ共和国のアナトリア（トルコ中部、小アジアの総称）に進出したのが十一世紀のころで、すでにイスラム化しており、その広大な領域の中に三大宗教（ユダヤ教、キリスト教、イスラム教）の聖地のエルサレムもはいっていました。これがけしからんということから、ヨーロッパ世界で十字軍運動が起こります。

やがて強大なオスマン・トルコが出てきて、トルコ人はいよいよイスラム化する。大地域を支配して束《たば》ねるには、思想統一が必要だったのでしょう。それにすぐれた官僚機構と能力主義。帝国の定義を収奪の機構とすれば、典型的な帝国だったですな。私らに引き寄せて、ペルシアのこと、つまりイランのことを考えると、お釈迦さんなんかのご先祖のサカ族というのも、遠くは古代ペルシアの辺境の騎馬民族でした。

堀田　ああ、そうですか。

司馬　そのサカ族は、階級の中のバラモン階級の次の階級の、クシャトリヤという侍の階級ですね。インド亜大陸といわれている三角形の大きなベンチに釈迦族があらわれるのは、いつごろかわかりにくいですけど、やがてインド亜大陸征服者になった。

いまふうに言えばイラン人ですが、彼らが征服者になったという理由は、きっと物事を数量計算できる文化をもっていたからでしょう。牧畜文化からきたものに相違ありません。敵はインド土着の人々で、数量にはうとい。ですから、敵は五百人だから、では自分たちは六百人連れていこうという具合です。だから、征服するのはひじょうに簡単なことだったようです。

数字を知らずにインドの密林の中で暮らしていた南インドの人たちというのは、一面、すばらしい人生と天地があったわけで、呪文を唱えて病気を治す。たとえばクジャクというのは毒ヘビでも食べてしまうものですから、毒にあたったときはクジャクの泣き声のまねをする。そうして自分がクジャクになりきってしまうと、毒がどこかへいってしまうだろうと考え、それを実践する。

これが空海の真言密教の遠い始まりです。

堀田　うまいこと考えたものだな（笑）。

司馬　この南インドの人たちは、非アーリア人です。一方イラン人はアーリア人[⑥]です。イランというのは、わざわざアーリアという人種名を国名にした。

アーリア人は、密林で興った非アーリア人の原住民の人々のまじないもおもしろそうだと気づいたあたりで、どうもゼロが発見されたらしい。数字に強い民族ですから。一方、密林の思考の人々はそのゼロというのは空《くう》ではないか、空というのはすべてをうむじゃないかと思うんですな。

ヨーロッパのキリスト教では、ゴッドがすべてをつくって、すべてをうんだクリエーターであると考えた。一方インドでは数字のゼロの発見によって、それを思想化した。空《くう》というのは、すべてをうむんだという考えが起こり、その考え方が安定し、インド思想になったわけです。それが中国に移り、日本にきた。

その後、インド思想は堕落していきます。インドにおいてはひじょうにセクシャルな宗教になっていきますけども、それはべつとして、イランを起点に考えると、それだけのことが考えられるわけです。

ぜいたくを知った文化

堀田　イスラムというと、すぐに「右手に剣、左手にコーラン」とか「コーランか死か」ということで戦闘的な宗教と思われてますが、初めからそうだったわけではないんですよ。

十一世紀からキリスト教の十字軍にどんどん追いつめられて、しまいに追いはらわれてしまったことからでした。追いつめられれば、だれだって剣を持つのはあたりまえのことでしょう。

それまでは比較的寛容で自由で、キリスト教徒でも、ユダヤ教徒でも、税金さえ払ってくれれば自由に受け入れて、平和に共存していたのです。

一四九二年というのは、コロンブスがアメリカ大陸を発見した年ということで、日本の学校は教えていますが、イスラムのほうでも大きなエポックの年号で、キリスト教徒がイスラム教を追い出してグラナダを征服した年なのです。ですからイスラムが戦闘的になったのは、この四、五百年のことなのです。⑦

司馬　本来、トルコ人はシャーマニズム――われわれの神道と似たようなシャーマニズム、つまり自然崇拝であって、天を崇拝していた。

そうした宗教意識しかなかったトルコが、イスラムになった。オスマン・トルコのイスラム化は、そのへん一帯がイスラムになることに役立ちました。この宗教の普及は当初、民族そのものが元気になりました。イスラムは大文明だったからでしょうね。

ところが十字軍の後ぐらいになると、イスラムは――これは話が前後してますが――停滞していく。停滞という言葉はひじょうにマイナスでいうのかプラスでいうのかべつとして。

堀田　停滞してきたから、つまりあのへんの大文化が興りました。停滞のプラスの面もあると思います。

司馬　あるでしょう。

堀田　ヨーロッパからいえば、十字軍となって、みんな斧《おの》を担《かつ》いだりなんかして、めったやたらにトルコまで行ってみると、とんでもないトルコの大文明にびっくり仰天した。

それまでのヨーロッパ人というのは、森の中で、少し拓《ひら》いた程度の土地に豚ともイノシシともつかぬものを飼って、そして、せいぜいニワトリかあひるぐらいといっしょに暮らしていた。ましてヨーロッパでコミュニケーションの可能な駅馬車用の道路というものが整備されるのは、十八世紀になってからですよ。

とにかくヨーロッパというのは、ピレネー山脈の西からウラル山脈まで全部森だったわけですから。森の狩人たちが集まってトルコまでエッチラオッチラ行って、この世の中にはぜいたくというものがありうることを知って仰天した。

それがヨーロッパ文明というものの始まりでしょう。したがって、文明としてはひじょうに若いです。

司馬　たしかにヨーロッパ文明は若いようですね。騎士道というのはヨーロッパのものだろうと思ったら、要するにイスラム人がもっている勇敢さ、節度、恥を知る心、それらをイスラムから十一世紀ごろ輸入したといわれていますね。それに西洋の城郭。あの凹凸の矢狭間《やざま》などもイスラム世界からもたらされたものです。

ギリシアが十五世紀にトルコに支配されたことから、イスラム世界の賢人たちが、アリストテレスなどを勉強していた。それをヨーロッパがいわばとり戻して、キリスト教神学までをアリストテレスの哲学で整えてゆく。

十六世紀に日本に来たフランシスコ・ザビエルなどは、アリストテレスを勉強するためにパリへ行き、当初は哲学者になりたかったといいますね。それほど当時は、アリストテレスはヨーロッパでモダンだったんでしょうな。

堀田　アリストテレスがヨーロッパに出てきたについては、最初にエジプトのアレキサンドリア[8]でアラビア語に訳されてるのです。そのアラビア語版を、スペインのトレド[9]でラテン語に重訳したわけですね。

だから、おそらくは、ギリシア語からアラビア語に、それからラテン語に直した。その間にずいぶん違ってきたんじゃないかと思う（笑）。

司馬　スペインやポルトガルのあるイベリア半島などは、イスラム勢力に支配されていましたものね。ナポレオンに言わすと、あんなところはヨーロッパじゃないんだというぐらいにアラブ化していた。

十五世紀のレコンキスタ――再征服運動が起こって、やっとキリスト教世界としてのスペインが蘇った。その間、アラブ人の遺産としての製紙、天文学、航海術などをスペイン人がひきつぐわけです。むろん、その中にアリストテレスの哲学もはいっていました。

堀田　そうなんです。アラビア語からラテン語に翻訳したのは主としてユダヤ人たちですね。

アラブの遺産というものは変なところに残っているのです。私は北のほうのスペインの田舎に住んでいたことありますけども、そこでバーへ行って、「なんでギター弾《ひ》かないんだ」と言ったんです。

そうしましたら、「何！」って言うんですね。「あんなものは、アンダルシアのアラビア人どもが弾くものだ」って怒って言うの。

司馬　なるほど。それはたいへんいい話だ。

堀田　話は変なところへいってしまいますけど、日本の人は、[10]フラメンコがひじょうに好きでしょう。スペイン語でフラメンコというのは、オランダ人という意味なんですよ。フランダース。

司馬　フランダースのことですか。

堀田　ですからスペイン語でフラメンコというのは、「異なるもの」という意味なんですよ。つまり、フランダースから来た人たちに長いあいだ支配されていましたでしょう、フランダース生まれのスペイン王[11]カルロス一世なんかに。したがって、その人たちを、スペインの人たちは異なるものの人たち、異人、外人ですな。それでフラメンコと呼んでいたわけです。

　アンダルシアにアラビアの音楽が残っていて、そこでギターを弾きだしたでしょう。それはマドリッドの人からみて異なるものなんです。

　だから、オーソドックスなスペイン人と話すときには、フラメンコの話と[12]カルメンの話はしないほうがいい。嫌な顔します。

司馬　そうですか。文化の重層というのはたいへんなことですね。

バスク人、ザビエル神父

司馬　ザビエルに敬意を表するために、私はピレネー山脈を越えてバスクへ、ザビエル城を見つけに行ったのですが、自分としては〝発見〟しました。この地球上の景色ではいろいろ記憶に残っていますが、夕日が沈もうとしているときにワゴン車で外堀のあたりに駆け込んだものですから、夕日を背景にしたあのザビエル城というのはいまでも忘れがたい光景です。

ザビエル城はザビエルという寒村にありまして、城といってもキャッスルではなくて、フランス語でいうドンジョン――砦《とりで》です。つまり市街地をもってないのです。城壁をめぐらしてないんです。城郭構造の中心がカテドラルでして、カテドラルが防衛にもなり、造形的にも中心になっていました。

神父さんが一人で番人していまして、名前を聞いても、「七十を越えていますから、名前もありません。私はもうお化けです」と言って、ひじょうに親切にずっと案内してくれました。

電気もつけてないですから、私は手持ちの懐中電灯で照らしながら見たのですが、そうしましたら日本の近世城郭にひどく似ているという感覚をもちました。つまり、織田信長以後の城郭でいう郭《くるわ》（城の周りの囲い）も、犬走りのような狭い通路も、二の丸、三の丸もありました。

織田信長というのは賢い人ですから、宣教師が来たとき「おまえの国のお城はどうなんだ」と聞いて「ちょっと略図でも書いてみろ」――これは私の想像ですが、そうして書かせたら略図の真ん中に天守堂がある。「ははあ、じゃ、おれも天守閣つくるか」ということになったのではないかと思いますけれども。

ザビエル城を見たあと、マドリッドからフィアット製の自動車みたいなエンジンをもつ列車にのって、ポルトガルまで足をのばしました。海軍博物館を見るためでした。だれが甲板《かんぱん》を発明したのか、ということを聞きたかったというのが唯一の理由だったのですが。

宮崎　カンパンって、船のですか？

司馬　船の甲板。大航海時代に日本に来たポルトガル船は樽と同じ構造をもっています。樽は沈みませんでしょう。樽に栓があるように、ポルトガル船にはハッチがあって、そのハッチの扉を閉めると、荒海でもまったく水が上がってきません。それまで地中海を往復していたお椀《わん》のような船に代わって、だれが樽のような船を発明したんだろう、エンリケ[13]航海王子だろうかとか、いろいろ思いつつそこへ行きましたのです。

かつての偉大なるポルトガル海軍は、もはや博物館を管理する仕事をしてました（笑）。海軍少将が館長で、海軍大佐が副館長でした。少将はいらっしゃらなくて。少将はアドミラールですね、アドミラールはアラビア語だそうですな。

堀田　アラビア語の amir（海の王者）からきていて、英語のアドミラルは、さらに古フランス語を経ているようです。

司馬　スペイン・ポルトガル艦隊が、アラビア人がいう艦隊司令官のことをアラビア語のまま使って、それがヨーロッパ語になっていくわけですけども、いずれにしてもアドミラールはいらっしゃらなくて、大佐がいらしただけなのですが、「いま、スペインと開戦したら、どっちが勝ちますか」と訊ねたら、「うーん、スペインが勝ちます」（笑）。要するに、依然としてスペインが怖いのです。

あらかじめ手紙をその大佐に出してましたから、だれが甲板を発明したか教えてほしいと言ったら、「あなたの手紙は読んだ。しかしわからない。おそらくアラビア人だろう」との答えで、不鮮明なアラビア船の絵図を見せてくれたのですけども、見ても甲板が存在しているかどうかよくわからない。よくわからないのですけど、甲板があったから日本までくることができ、そのポルトガル船がもたらした異文化との接触がひじょうな触媒になって、安土桃山時代というあの豪華な時代ができた……。檣の船の発明が、安土桃山時代をうむ要素になったともいえますな。

堀田　さっきザビエル城を訪ねられた話をされましたが、ザビエルはもちろんご存じでしょうけど、二男坊なのですね。

司馬　二男坊です。

堀田　バスクというのはひじょうに厳密な長子相続です。それで、二男坊以下はその土地にいられないのです。ですからバスクの人口というのは、いま、アメリカにいる人のほうが多いのじゃないでしょうか。

司馬　そりゃそうでしょう。ザビエルさんは、お父さんがやっぱりバスク人なのですけど、そのへんの小さな王国の財務長官、その後、家老になりました。家老になったのは、身分、家柄によるものじゃなくて、イタリアのボローニャ大学に行って法律を学んだためです。教会法です。教会法とは、法律であり、かつ教会は財産の計算、収支の計算をしますから会計の権威でもあるので、いきなり家老になったのでしょう。当時も大学出は俗世で効果があったんですね（笑）。

家老ながらお城も持ってないので王さまが憐れんで、後のザビエルのお母さんになる貴族の娘とめあわせて、お城を嫁入り道具にさせました。それがザビエル城です。

お父さんはどこでうまれたのだろうと思って捜しましたら、お父さんのお父さんがうまれたところを偶然、発見しました。ピレネーのフランス側にはいっている小さな宿場町で、これは城壁に囲まれていますけども、サン・ジャン・ピエ・ド・ポールというきれいな小さな町で、やっぱり真ん中にデーンと教会の天守堂がそびえている町でした。

そこへは別の好奇心で——雑貨屋[14]を訪ねていく目的で行ったのです。その雑貨屋は、私が中年のころまで生きていらしたカンドー神父さんという、フランス語を東京大学でも慶応でも教えておられた神父さんのうまれた家なのです。

伝記によりますと、カンドー神父さんが子供のときから、お父さんが「日本へ行きたい、日本へ行きたい」と言っていたというのです。その理由は、フランシスコ・ザビエルのばい菌がこの町にあったからだろうという思いが私にあったので、気になってたからでした。

どうしてフランシスコ・ザビエルのばい菌が残っているのかと思ったら、その雑貨屋のちょっと向こうに銅製品を売っている土産物屋さんがありまして、壁にプレートが貼ってあって、「聖フランシスコ・ザビエルの父方の先祖の家」と書いてあった。それをカンドー神父さんがしょっちゅう見て、ザビエルとはどんな人か、日本に行った人だ、それなら自分も日本に行きたい、と思いつづけ、やがて来日することになりました。

堀田　いずれにしても、スペイン、ポルトガルはじめヨーロッパでは、陸海ともにかつてはイスラムのほうがずっとヨーロッパより文化的に高かった。しかし、今日のイスラム、とくにイラン、イラクなどの中東諸国は、難治の国ですな（笑）。

宮崎　クウェートで油田の火が消えたでしょう。それなのに王室がもう一回火をつけて、最後の油井を壊したのですね。セレモニーをやるために。頭にきました（笑）。

司馬　火が消えた、ということのセレモニーをやるためにですね。消すのはみな西側の技術者が来てやってる。もっとも金はクウェートの人が出しているのでしょうけど。やはり難治の国ですな。

請負制とサラリー制の差

宮崎　このまえイタリアへ行ったときに、ホテルの前に古い屋敷がありまして、はいりたくてしょうがないので門番を買収しました。のぞかせてくれ、と。そうしましたら、夜の八時過ぎになると人がいなくなるから、庭だけなら一人五千リラ、屋敷の中に絵があるがこれは一人一万リラだという話なので、のぞかせてもらいました。旅の最後の夜だったのですが、真のイタリア男に会ったという感じでした。忍び込んだ屋敷の天井画がとてもきれいで、これは国宝クラスだと勝手に思ったのですが、他にもいくらでもありそうなんです。ローマというのは奥深いなぁって……（笑）。

堀田　ラテン系の人たちとなんらかのことをやるのだったら、その類のお金はどうしても必要です。

司馬　室町時代が形成されていくのは、当時中国の福建省や広東省に来ていたイラン系、アラビア系の人が、日本の倭寇《わこう》といっしょになったことからです。かれらがコミッション、つまり請負制度というのを当時の日本人に教えましたな。私はどう考えてもそう思うのです。明治になってそれはやめましたけれども。日商岩井の社員が給料五十万円ほどで何十億の仕事をしてきて、それで満足しているという国になりましたけれども、日本はそれまで請負制でした。

室町時代当時の福建省は、アラビアの国みたいでした。いまでもいっぱいアラビア人の墓が残っているほどに、イスラム圏でした。アラビア人はあの大きな船の航海術を中国人に教え、中国人がそれに乗って日本にやってきた。一方、日本の倭寇は小舟で出かけていって取り引きする。航海術において、文化の差は歴然としてました。

請負制度に話を戻しますと、番頭や主人が「福建に行って仕事をしてこい」と下の者に命令するときに、「ただしもうけただけの半分はおまえのものだ」ということでコミッションということができあがる。これは、パイを大きくすればもっと自分の取り分は大きい。

織田信長と秀吉の関係においても、やはり請負関係ですな。秀吉に対して、中国征伐をやったら中国地方の半分の領地をやる、という暗黙の了解が信長との間にあったのでしょう。

しかし中国征伐後、秀吉は「それは要りません」と言ったから、信長は秀吉を信用したのでしょう。ただ「要りませんけど中国で一年分の兵糧《ひょうろう》を貯えて九州征伐させてください」と交換条件を出し、九州征伐が終わったら、九州の半分をもらうはずだったところを、信長を安心させるために「それは要りません。その代わりに九州の一年分とれる米をいただいて朝鮮征伐へ行かせてください」と言った。そう言われたら、信長としたら次は加勢すると言わなければしょうがなくなる。こいつは欲がないと思って信用するわけです。信長、秀吉の主従関係の中身は、請負制です。

江戸時代の末期のことですが、薩摩の殿さまの、島津重豪《しげひで》[15]がぜいたくをして、財政が傾き大赤字になった。建て直しはだれがやってもいいと公募しました。茶坊主の調所笑左衛門《ずしょしょうざえもん》[16]が、「私、やります」と申し出て、借金の棚上げを大坂の金貸しの鴻池その他を歴訪して頼んでおき、奄美大島に人頭税を課した。奄美大島で奴隷労働をやらせたり黒砂糖をつくらせたり、薩摩焼きを復興させたりして、これらを換金商品にしていって、たちまち千両箱を積みました。

こうして調所家は大金持ちになるのです。調所家に海老原という副がいました。この海老原も請負制で半分もらうわけです。薩摩きっての侍だったのですが、大金持ちになる。このことが西南戦争のもとになりました。

というのは、その子か孫かの海老原穆《ぼく》[17]が東京に出て来て新聞社を興し、大久保利通の悪口を言いつづけます。しまいには郵便局の写真を撮り、「これが大久保の屋敷だ」と自分の新聞に載せ、薩摩の人々を刺激しつづけたのです。その資金源は、かつて海老原家が財政建て直しを請け負ったときの取りぶんでした。

　そうした請負制になっているのを、明治政府が給料いくらでやるように、うまくサラリー制に切り替えました。

　ヨーロッパでいえばアルマダ（スペインの無敵艦隊）が滅びたのも、要するにスペインが請負制の国だったからです。相手側のイギリスの海軍は――海賊か海軍か知らないですけど、デューティだけでやってくる。[18]ネルソンだってデューティだけでやってくる。一方ラテン系の人は、これをやって幾らというようなところがありますでしょう。歴史的にみて、請負制の国は没落し、サラリー制の国は成功します。だから、カトリックとラテンが、アルマダの沈没とともに世界史から後退していくというのは、請負制かサラリー制かの違いでもあります。

　ただ、サラリー制にはデューティをつけなければいけない。おまえの義務で興奮せよと。だから、デューティはどうもイギリスから起こったみたいですね。

堀田　ラテン系には向かんです。義務、デューティという考え、あるいは興奮剤は、プロテスタンティズムがあってはじめて出てくるものですね。

司馬　オブリゲーションというのは、法的な意味の、強制された義務だとしたら、デューティは勝手に自分が思ってそうするということでしょう。これがないとサラリー制でうまくいかないです。

宮崎　自分たちの職業上の感想ですが、これから日本では、サラリー制も請負制もむずかしくなっていくのじゃないでしょうか。若者の間に、デューティをもっと限定したものにしようとする動きがあると思うのです。かといって、請負制でガツガツもしたくない。

司馬　どちらもややこしくなっています。

宮崎　失業が極端に少なく、かといって家を買うほどの稼ぎはムリという、いまの経済状況のせいかもしれません……。

4　アニメーションの世界

混迷するアニメーション

司馬　宮崎さんの直接監督される作品も、プロデュースされてるのも、画面の構成も色彩もきれいですね。光を通した色ですから、ときに絵画は負けたかなと思うことがあります。

宮崎　いや、そんなことは……。

司馬　絵画が負けたというのは、宮崎さんの色に中身がはいってるんです。こういうアニメは初めてですよ。

宮崎　私らは、いつももうすこしいいものができたらと思ってるんですけど。

司馬　私はアニメのファンのつもりでいます。具体的には宮崎さんアニメのファンです。以前は、西洋人がつくった作品を喜んで観てました。そしたら宮崎さんのが出てきまして、人間が立体的で、絵の中で風が吹いてきたら、女の子のスカートがふわっふわっとなってふくらんでいく。それで風という目に見えない空気の動きを表現している。東洋の天人や西洋の天使も空を飛ぶのですが、絵画では単に画面の上のほうに遊泳しているだけですが、宮崎さんのは風が表現されているので、自分が飛んでいるような気持ちになります。地上の世界は、ときに西洋の中世の小さな町になりますが、造形性がしっかりしているということで古い西洋の家並《やなみ》や石畳、石の壁が選ばれざるをえないというのもよくわかります。
　今度の作品の題名はなんでしたっけ。『ピンクの豚』？（笑）

宮崎　ヤケクソみたいな名前なんですけど『紅《くれない》の豚』。

司馬　紅か。おもしろそうですね。また飛んでいくんでしょう。

宮崎　ええ、それが真っ赤っかな飛行艇に乗ってるんです。中年の豚が一匹で、人間の世界の中で賞金かせぎをしている。舞台は一九二〇年代の終わりのアドリア海なんですけど、まさかユーゴがこんなになるとは思わなかったから……。クロアチアの海岸の多島海が舞台です。

堀田　あそこはいいところだ。景色がいいだけではなくて人間――民族、宗教、政治の三ツドモエがあれほどにも入りまじっているところはほかにないでしょう。

宮崎　それが紅《あか》い豚（ポルコ・ロッソ）と呼ばれる豚なんですが、「俺は人間じゃない、俺は豚でいいんだ」って言い、またそう思っている。

司馬　いい話だな。

堀田　あそこは、ルネッサンスのころのベネチアとフィレンツェを二つあわせて十分の一ほどにしたような港町があるんですよ。それはそれはほんとうにきれいなところだ。そこをこないだ民族間の争いでセルビア軍が砲撃してた。

宮崎　ドブロクニクのインペリアルホテルが炎上してる写真が新聞に出てました。いちばん格式のある古いホテルだって書かれてまして、旅行ガイドのどっかで読んだことあるなと思って地図を調べましたら、ほんとうにあの美しい町の中なのです。いやになってしまいました。

堀田　ドブロクニクというのはつい最近の名でしょう。昔はラムーサっていったのです。

宮崎　塔があるベネチアふうの教会が建ってますね。

堀田　小さな、城壁に全部囲まれていて、その要塞が海の中に突き出てて、いいところなんです。それなのに……。

宮崎　ユーゴにアニメーターがいっぱいいるのです。ヨーロッパではユーゴが人件費が安いものですから、それでヨーロッパでアニメーションを作るときはユーゴに下請けに出す。そのアニメーターたちとカンヌで会ったことがあるんですが、みんな大男でいい連中で、「おれのフィルム買ってくれ」と言うのですけどね（笑）。その連中いまどうしてるんだろうと思います。国内で戦争やる理由はまったくないんじゃないかな……。

司馬　ない。過剰民族感情というのは、悪魔ですね。

宮崎　彼らにビデオで観せてもらったフィルムに、ものすごく恐ろしいやつがあったのです。黒と白だけで色の塗られていないフィルムですけど、小さな漁師町で男たちが船に乗って漁に出かけて行くんです。海が真っ黒に塗ってある。魚たちがそれを見ていて、上陸してくる。魚がやたらに巨大なんです。それがウワーっと町にやってきまして、人間を網で全部さらって海に引きずり込んでいって、それでおしまいになってしまう、そういう映画なんです。どう受け取っていいかわからなかった。もう十年もまえに見たフィルムですけど。

堀田　ブルガリアとかルーマニアとか、あのへんの小さい国のフィルム、映画というのは、観ていて、どうしても納得のいかないものがなんぼでもある。わかりません。
　ポーランドの映画監督、アンジェイ・ワイダが玉三郎を演出した『白痴』をわざわざ観にいったけど、ドストエフスキーの『白痴』とも明らかに違う、なんだかわかんないところがある。うまく説明できませんけどね。

宮崎　どうしてその映画ができたのかよくわからないのです。わからない部分が魅力的だったりしますが。

堀田　なんだかそういう小さい国の映画を観てると、こっちの理性がどうやら変になってくるんだ。

司馬　その話、ぶきみなほどおもしろいですね。そうですか。それは、いま起こっているユーゴなどの民族間紛争の問題にもかかわってくるかもわかりません。ちょっと俗なたとえを言えば、若い者に大人は「世間はそうじゃないぞ」といって言い返すじゃないですか。「お前みたいなことをしていたらだめだ。世間はもっと真面目に働いている」とか、「世間はみな勉強をしている」とか言うことによって、われわれの頭は安定するわけでしょう。
　ところが小さい世界にいて、そこでフィルムを作ると、この世間というスタンダードから見たら、なんの意味だかわかんない。しかし、本人たちだけはわかってる。
　たとえば、江戸時代の薩摩藩でフィルムを作るとしたら、ヘンテコリンなものを作るかもしれませんね（笑）。ところが薩摩人が明治維新で天下を取って明治官僚になり、旧旗本屋敷に移り住み、娘には旗本屋敷に勤めていた古い女中さんを雇ってきて古い山の手言葉を教えさせて、言語教育をする。そういうことで世間並みになるわけでしょう。ですから、広いところの影響を受けない頭というのは、他にわかりにくいことになりますな。

いい例かどうか知りませんが、古い薩摩の家中《かちゅう》では〝冷《ひ》えもんとり〟という奇習があった。死刑があるときくと、若い侍たちがひそかに刑場に近づいて、まっさきに死体の肝《きも》を取った者がえらいということになっていた。なぜえらいのか、他の藩の者にとって、説明されてもわからない。しかしそんな薩摩で当時映画があったとして、もしかれらが「冷えもんとり」を映画にして、江戸で公開したとしたら、江戸っ子にとってぶきみなだけで意味もわかりません。小さなおなじ精神文化の中の者だけが、えたいの知れぬカタルシスを感じてニタニタ笑っている……。

われわれ日本に住んでいるから、ルーマニアのフィルムがユニークに見える。ユニークという問題が、いまからの世界の大問題ですな。北朝鮮もユニークですし（笑）。だからユニークというのは、卑しい、いやらしい、つまらない、悪の言葉にしていかないとまずいんじゃないですか。フィリピンのイメルダだってユニークでしょう。ユニークだから困る。もうちょっと世間というのを知ってほしいんだけど。

堀田　司馬さんのおっしゃる世間というのは、おそらく普遍性ということでしょうが、その普遍性に照らしてのユニークさであってほしいものですね。

ルーマニア映画をバルセロナで上映していたんですが、スペイン人は半分ぐらいわかるんです、ルーマニア語が。つまり、ルーマニアはロマーニアで、ローマ、つまりイタリア語はもとはラテン語でしょう。ルーマニア語というのは、ノーがヌーで、イエスがダーなんです。だから「ノー」をラテン語系で、「イエス」をギリシア語というか、ロシア語というか、スラブ語で表現するという妙な国です。つまりバルカン半島のラテン地区ですからね。

宮崎　映画作家でいえば、ロシアにはタルコフスキーという最後には亡命して死にましたけども、その人の作品は陰影の濃さがありますし、アニメーションでいえばノルシュテインというこれまたものすごく優れたアニメーターがいますけれども、いまはなかなか作れない状況にいます。ソ連というか、ロシアというのはそういう人が出てくるんですね。

そうすると、ついあのロシアの土地の中になにかすごいものがあって、その奥行きの闇の中から、たまらなくなって何か出てくるのかなという気がします。

堀田　私が感心したのは、タルコフスキーの映画の中の宇宙船。宇宙船の中の図書室に『ドン・キホーテ』があって、それを読んでいる人がいる。だって、アメリカの宇宙船映画で本読んでるやつなんかいやせん（笑）。それに、宇宙へ人間が行くということ自体が、現代のドン・キホーテだという発想にはほんとうに感激しました。

司馬　ああそうですね。

宮崎　芸術を輸出するというのは、その国を世界の人々に知らせるのには、すごく効果的な方法ですね。

司馬　そうです。そのとおりですね。

宮崎　政府がパンフレットなんか作っていくら外国に送り出してもしょうがない。「うわっ、これはすごい」という映像作品を何本か作って世界に送り出せばいいのに。
司馬　いま宮崎さんだけでしょう、日本のアニメーションで世界で受け入れられているのは。
宮崎　いや、日本でだけです。外国へ出すのは、商売上の次元の課題になりますから、おいそれとはいきません。
司馬　梅原龍三郎でも、フランスに持っていったら、これはルノアールの真似かって言われるかもしれない。宮崎さんのだけは日本のだとよくわかる。
堀田　宮崎さんなら宮崎さん、ウォルト・ディズニーならウォルト・ディズニーという人がいて初めてアニメが存在したんだもの。
宮崎　アメリカのハリウッドの映画会社を日本の企業が買うでしょう。そうするのじゃなくて、百億円出してくれればいいのです。いや、アニメーションにじゃないのです。そのお金で五年間映画を作らない映画会社をつくって、そのなかで論議して考えるっていうことをやったら、日本のいい映画はできるんじゃないかと思うのです。
堀田　タルコフスキーができるかもしれない。
宮崎　タルコフスキーほどになるかどうかわかりませんけど。
　話がそれますが、戦争に勝っても得することはないのですが、一つだけ確かなのは戦争映画は作りやすいですね。アメリカ映画を観るとそう思います（笑）。戦争に負けた国は戦争映画は作りにくいですよ。日本もドイツもひじょうに苦労して作ってます。

堀田　ただドイツの『Uボート』なんていい映画でしたね。ところが勝つとなんかやたらに作りやすいみたいですね。

宮崎　ええ、もう屈折に屈折を重ねて作るしかない。ところが勝つとなんかやたらに作りや

いま、アニメーションというのは、ものすごい本数が作られているのです。これは自動車の製造なんて目じゃないくらい。需要のことは関係ないですから。現在、テレビ局が一年間に放映しているのべ時間数が十一万時間ぐらいあるのですが、数年後、それが三十万時間になる。だれかが勝手に決めたんですかわかりませんが、衛星放送に民放も参入してきますから。でも流すものがない。だから、とにかくソフトを作ろうということで、その中にアニメーションもはいっているのです。

ところが、いまの日本でのアニメーション制作の実情は、七割ではないかといわれてるものの、現場の感覚では九割が韓国、中国制作なんです。頭だけ日本にあるんです。台湾は人件費が上がったから発注に行かなくなったんですけど、あとフィリピン、タイ、バリ島まで及んでいます。ベトナムは経済関係ができないからまだですけど、ベトナム人は働きそうだから、もしルートができたらすぐ発注に行くでしょう。

堀田　あっちの人が描くの?

宮崎　描くし、塗ります。韓国では、描いたセル画[1]の撮影までやっています。ラボ（現像所）もつくりました。ただひたすらだれが何を作っているかわからないといいながら、プロダクションは気が狂ったように作る。だから、冗談みたいなアニメがおもてに出てきてしま

う。手間暇かけてませんから。

司馬　『ルパン三世』というテレビのアニメーションは、日本人ばかりのスタッフで作ってるのですか。

宮崎　いまは作ってませんから、テレビでいまも流しているとしたら、昔のやつです。

司馬　だんだん変な絵になってきましたが、あれは描き手が違うからですか。ある時期はすばらしい絵でしたね。

宮崎　描き手がどんどん変わりました。最初のころ、私もちょっとやっています。

司馬　そうか、それでか。

宮崎　『ルパン三世』の話はともかくとして、雑誌とか本は、隣の国に持っていって作るわけにはいかないと思うんです、印刷、製本以外は。ですが、アニメーションというのは国籍不明ですから、怒濤のごとく近隣諸国へ発注が出ています。日本では人手が足りないから、海外へ持っていく。かならずしも安いから持っていくのではないのです。例によって何社も群がって発注しますから、向こうが足元を見てふっかけてくる。と、みるみる制作コストは上がりまして、いま、たとえば韓国で作っても日本で作っても値段は同じです。

その結果、韓国でアニメーションの絵を描いている人間は、外車に乗ったりしてます。日本と同じ給料ですが、韓国だったら高給取りになってしまいますから。しかも、韓国から逆に日本に下請けに出ていたり、わけのわからないことが起こっているんです。めちゃめちゃです。

闇のすばらしさを宮崎作品で

堀田　これは宮崎さんの作品ではないのですが、ヨーロッパで日本のテレビアニメーションがずいぶん流れてます。それを観てますと、結末が全部弱いんだな。ヨーロッパ人の目から見て、結末になってないの。ヨーロッパのアニメーションを観てますと、だいたいにおいて、みんなどこかでユリシーズか、ギリシア・ローマ神話、そういうよりどころがあるんですね。そうすると、つまり、ギリシア神話なりなんなりとかは、殺すべきものは結末で殺してしまうんですね。そういう結末意識といいますか、そういうものをかれらははっきりもっているようですね。

宮崎　堀田さんに一度そううかがって考えたのですけど、自分たちは、司馬さんのおっしゃる化外《けがい》（教化の外）の民、つまり、神道のほうが儒教よりも強く支配している民族だからだと思うのですが。ヨーロッパでは、ローマの領地にならなかった民をさす言葉ですね。要は、われわれ日本人はギリシア・ローマの古典をもっていないせいだからでしょうか。

司馬　いや、私はちょっと解釈をもってます。つまり、私は小説を書いていまして、堀田さんはむろん、先輩であって尊敬してるし、実際に堀田さんの代表作はいろいろありますけども、『ゴヤ』が印象的でしょう。これは実際の記録です。作家が書くべきものでない。私が書いているのもヨーロッパの近代文学がもっているフィクションというのではない。ヨーロッパのフィクションというのは、大文字にしたほうがわかりやすい。God が大文字であるように、ヨーロッパ人はゴッドの時代が終わると、それぞれの作家が神に関係なくてめえで世界を Fiction という大嘘、大文字のフィクションにした。

一方、日本は明治、大正、昭和初年の文学は私小説が主流ですから、それは神々ですな。『暗夜行路』といっても、神さまの一人が放浪し、漂歴する小文字の god なんです。だから、ほんとのフィクションはない。東京の金持ちの息子が、何か父親に対して不満があるらしくて、うろうろと庭先か何かでいろいろしちゃうというのが、日本人にとったらたまらなくいいんですよ(笑)。私にとっても心地いいんですが、西洋人からみると、これはちょっと、近代文学かしらと思いますでしょう。

それが宮崎さんの作品には大文字の Fiction があるわけです。この人によって、明治、大正文学が遂げられなかったフィクションというものを遂げさせてる感じがある。

宮崎さんに一つ作ってほしいテーマがあるのですが。平安時代の京の闇に棲《す》んでいた物《もの》の怪《け》のことです。私は二十代のときに、天狗さんが住んでいるという村に行ったことがあるのです。京都の上賀茂か植物園前というところからバスに乗って一里ほど山の中へ行った雲ヶ畑というところに志明院《②しみょういん》というのがあって、そこに昭和二十三年ごろの夏、三日ほど泊めてもらった。

田中良順《りょうじゅん》という、もうとっくに亡くなりましたが、そのお坊さんが、「うちの寺には天狗の雅楽も聞こえてくるし、ほかにもいろいろおかしな音が聞こえてくるから来なさい」と誘ってくれました。このかたは東京の人で、大正大学を出て、このお寺に赴任したわけです。来てみると天狗がやかましくてしょうがないんだそうです。

　四方山壁で、ポンとこの志明院がある。十二畳ぐらいの部屋で泊まってたら、ゴトゴトと障子を何かがゆするのです。パッと外へ出てみたらなんにもいない。そのうちに銅瓦ぶきの本坊に、ドンドンドーンと四股を踏むように踏んでいくやつがいるの。見えないだけ。ただ天狗の雅楽は聞こえませんでした。峰のほうから聞こえてくるそうですけど。

　昭和二十七年に手紙がきまして、「このごろ出なくなりました。電線を引いて寺に電気がついてからもう現われなくなりましたが、京都の平安時代にいた物の怪が集まっていると思うのです」と、田中さんは大学出だから昔の京都のことを知っていて、こう書いてきました。

　これだけの話です。平安時代、京都の物の怪というのは、真っ暗な四つ辻にいたそうですな。それがどこの四つ辻も明るくなってしまったために、みなこの寺に来ているんだと良順さんは思い込んでいる、そうとしかいいようがないようすでした。この人はごく普通の人で、変な人ではないのです。

　現在は息子さんがそこに住んでいますが、このお寺の感じをフィクションに移して、涼やかな坊さんながらインテリで、マルキシズムを経た、かつて銀行員もした人がお坊さんになったのだけど、お寺で天狗が騒いでやかましくて寝られない、という舞台設定はどうでしょうか。典雅で、もののあわれと哄笑《こうしょう》が同時にあって、人間への大きな批判をこめた平安朝の物の怪は、アニメーションにならないでしょうか。ここから先はアニメーションの天才に期待するのですけど。

堀田　いい話ですね、それは。小林秀雄さんに聞いた話ですけど、菊池寛と四国に行ったら、菊池寛が夜、うなされちゃった。お化けが出てきたらしい。

「お化けがおれの胸の上に乗っていた」ので、それでお化けに「おまえ、毎晩出ているのか」と菊池寛は聞いたんですって。小林秀雄さんはまじめな顔をしてそういっていました。

「おまえ、毎晩出ているのか」と聞く菊池寛さんはいいでしょう。

司馬　僕は二十何年かまえに大阪の西長堀《にしながほり》というところの、公団経営の十一階建てのアパートの十階にいたのです。そのとき池波正太郎さんが訪ねてきてくれました。

まえの晩に渋谷天外さんの家に泊めてもらったそうです。渋谷天外さんは、大阪の天下茶屋という町に一軒を買い取って、古い大正時代の屋敷町に住んでいました。その屋敷は幽霊が出る。渋谷天外さんは松竹系ですから、松竹の人に泊まれ泊まれと言っても、みなそれを知っていて怖がって泊まらない。寝たら必ず布団をたたいていくやつがいる。渋谷天外さんはこれを退治するのは菊の御紋しかないと——そう考えるのが天外さんのユーモアですが——ふすまに全部、菊の御紋をつけた。それでも出るのです。池波さんはそこの部屋へ泊めてもらった。

「池波さん、あなたの泊まった部屋で何かありましたか」

「なんにもありませんよ。二人で下の部屋で大酒飲んで、もう寝ると言って、自分は寝たんです。ただ、天外さんはうとうとしたとき、ちゃんと布団をたたいていってくれました」と言いながら「私はいくらでもそういうものを見ています」とそっけない。これではお化けにとってちょっと甲斐がない（笑）。

宮崎　電気がつくといなくなると言いますね。

司馬　いなくなる。だから、電気のない闇というもののすばらしさを、宮崎さんのアニメでひとつ表現していただきたいですな。電気のない闇にはいろいろな物の怪が住んでいることがわかりますから。

[3]『となりのトトロ』にも北海道のマリモのような黒いフワフワしたやつがいっぱい出てきますね。あれが電気のない闇の物の怪ですけども、あの物の怪をもっと具体化して、鬼になったり天狗になったり、日本の異物になる。あれは本来外界《げかい》から来ているエイリアンですから。それが夜になったら、平安京に戻ってきて、四つ辻に立っているわけでしょう。大津絵の鬼もみな立っています。夜の平安京というのは、ぬえも出てくるし、いろいろ出てくる。

堀田　藤原定家の日記『明月記』をみていると、夜の平安京は、物の怪やらお化けがにぎやかです。

司馬　東大寺の二月堂に、昭和二十四年に初めてお水取りを見にいきました。奈良朝時代から続いているのに、まだ世間の評判にはなってなくて、坊さんだけでやっていました。土地の観音経のお講の人が外陣《げじん》にはいっていまして、私も外陣に懐炉《かいろ》を持ってはいっていた。

途中で中休みがあります。そのとき二月堂の一直線の階段を青竹の杖を持って十一人の坊さんがダーッと走りながら降りてくるのです。青竹を引きずってカラカラッと音をたてて、「手水《ちょうず》、手水、手水」と言って叫びながら降りてくる。なぜか。いまは手洗いに行くだけだ、また戻ってくるぞという意味です。しかし戻ってこない。

なぜかというと、天狗が真似して、たいまつを持ってお堂の中でガーッとやるんですって。火ですから危ないというので、手水、手水といって戻るふりをする。青竹をカラカラカラッと引きずっている音と、たいまつの光と、二月堂のほのかの闇とがじつにきれいでした。橙《だいだい》色《いろ》の色調と濃い紺の色調、そういうアニメーション作品を宮崎さんに作ってもらえればいいな。

宮崎　アメリカ映画に限らないのですが、ヨーロッパからはいってくるファンタジーがありますが、光と闇が闘って、いつも光が善なのです。悪い闇がのさばってくるのを、光の側の人間がそれを退治する。それと同じ考えが日本をむしばんでいると思います。

司馬　光ばかりで。

宮崎　光ばかりです。しかも蛍光灯だけですからね。それと水銀灯。スピルバーグの『未知との遭遇』を観たときに、宇宙船の中が見えるんですが、全部光なんですね。これでは盛り場みたいなものです。こんなものが宇宙から来たって、何がありがたいんだと思いました。

闇というものを身近に、だいじなものだと思わないようになってしまった。つまり、古い家を全部壊してしまう。それと同じです。

堀田　蓼科《たてしな》に別荘をつくってから、三年間電気がこなかった。そんな生活はたいへんでしたけど、たいへん気持ちよかった。ランプでしたけどね。夜寝るときなんか、いくら酒飲んでも、なんだかざわざわしてる。

しかし、そのうち二カ月めぐらいから、そのざわざわがないと眠れなくなってしまった。守られているという感じでしてね。

宮崎　闇と折り合いをつけていくのですね。

司馬　闇を悪徳だと昔の日本人は思わなかったんですが、イランで起こった宗教では闇は悪徳で、ゾロアスター教でも悪徳だとしている。それはキリスト教にも影響していますね。

堀田　キリストは、「我は光なり」とやってきたわけでしょう。「エゴ・スム・ルックス」か。

ヨーロッパの森の中の真っ暗なところに住んでいる連中のところへ、お坊さんが「我は光なり」と来たら、みんなドキッとしますよ。

宮崎　森と闇が強い時代には、光は光明そのものだったのでしょうね。でも、人間のほうが強くなって光ばかりになると、闇もたいせつなんだと気がつくわけです。私は闇のほうにちょっと味方をしたくなっているのですが（笑）。

5

宗教の幹

「正統派」と「抗議派」

堀田　私は、ヨーロッパに住んでいる時期に藤原定家の『明月記』を調べ、コメントみたいなものを書いていていましたが（『定家明月記私抄』）、しまいには、十三世紀の日本のことを書いているような気がしなくなりましてね。

司馬　それはおもしろいですね。

堀田　定家の時代に法然、親鸞、日蓮が出てくるでしょう。それはヨーロッパにおいて、カトリックに対抗して新しい派が出てきた状況と同じです。

カトリックというのは、つまり公的かつ普遍的宗教という意味ですが、要するに国家宗教みたいなものでしょう。

日本でいえば、国家宗教の仏教が形骸化してといいますか、人の救いというものを個人の内面に求めるということで、親鸞、法然、日蓮が出てきました。これは一種の宗教革命であり、同時に国家宗教の側から言えば異端出現です。

司馬　当時の叡山からいえば、朝廷にたのんで流罪《るざい》に処すべき徒輩《ともがら》でした。

堀田　同じ十三世紀には、フランスのリオンのほうでワルドー教というものが出てきました。

これは財産を全部捨てるという宗派で、もう一つ、ピレネー山脈近くの南フランスのトゥールーズを中心にカタリ教というのが出てきます。これも極貧であることを旨とするものですが、いずれもローマンカトリックというものが、いかに太った豚みたいになったかということへの証左でもあります。

この普遍と異端の対決のありようからみますと、ヨーロッパと日本の十三世紀はほとんどパラレルなのです。あのころの定家さんなどの歌は、ひじょうにデリケートかつ微妙なものであって、近代ヨーロッパと比べるとすれば、マラルメがせいぜい及ぶか及ばんかというものだと思います。

もう一つ詩歌のほうでいえば、ヨーロッパでは、南フランスでトルバドゥール[1]という吟詠詩人がひじょうに栄えたころでした。つまり、詩による文化といいますか、文学というか、それがひじょうに栄えているのです。そうなりますとますます日本とほとんど同じじゃないですか。

ですから、私はヨーロッパで藤原定家を書いていまして、歴史的にも地理的に置かれた場所についても、違和感がなかったわけです。

司馬　そうですね。鎌倉幕府成立の十三世紀にできあがり、江戸の終わるまで続いたその間の封建制というのは、ヨーロッパの封建制とパラレルというか、言いすぎを覚悟でいうと、同時性的な現象かもしれません。

堀田　そうなんですよ。

司馬　ひょっとしたら、江戸時代はヨーロッパよりもっと精密だったと思います。おまけに、問屋制資本主義と重なってましたから、すばらしい商工業文化をうんだと私は思っています。それに、古いころから職人を大切にする伝統がありましたから、日本人の考え方を、製造業に向く頭にしていきました。

　十三世紀の藤原定家がいたころの仏教の状況ですが、親鸞、法然、日蓮、ちょっとおくれて道元も出た。ほんとに絢爛たる思想時代なんです。ただこの十三世紀以来、本願寺は教義をすこしも変えずにきて、ヴァチカンのように新興の宗派に対抗する悪戦苦闘はしてませんでしょう。だから、十三世紀でストップしたままです。

堀田　おまけにもと異端だった本願寺さんは、皇室とまで婚姻関係を結んでしまった。異端が王室と結ぶというのは、これは日本の特殊性です。

　その後、たとえば鎌倉幕府が、御成敗式目《ごせいばいしきもく》をつくって、その中で「姦通は死刑に処す」と書いてある。これが平安文化というものをそこで絞め殺してしまった。平安朝で姦通なんて考えはなかったですから。

司馬　姦通でできあがった文明かもしれません（笑）。

堀田　そうです。姦通が姦通として処罰されたりしたら、『源氏物語』などは成立しない。

司馬　北条政子の夫の頼朝は京都育ちですから、頼朝としてはどうしても姦通という文化にあこがれています。

宮崎　男はいつもあこがれますが（笑）。

司馬　ところが、北条政子はクリスチャンじゃないのに一夫一妻を強いる。これは農民の倫理だったと思います。同じ田んぼを夫婦で耕す。だから亭主は妻を裏切るな。これは明快だったろうと思うのですけど。

堀田　しかし、北条政子っていう人は、ほとんどシェークスピア級の人物だと私は思いますよ。シェークスピアの芝居に出てきて、ちっとも不思議でない。

司馬　シェークスピアと同じに、人生は対決だということを知っています。頼朝も実朝も死んで、北条家が執権政府になったとき、京都とのあいだでトラブルが起こり、兵隊を出すとなったものの、京都に立ち向かうのは畏《おそ》れ多いぞというみなの気分がある。そのときの北条政子の演説というのは、シェークスピア劇そのものです。

堀田　そうですね。

司馬　「だれのおかげで今日《こんにち》あるか、鎌倉幕府のおかげじゃないか」。つまり、土地所有権を京都に対して認めさせたのは鎌倉幕府でしたから。「それなのに、お前たちは昔の土地所有権の不安定な、あの律令時代を恋うのか」という大演説。『吾妻鏡《あずまかがみ》』によると「皆、心ヲ一《いつ》ニシテウケタマハルベシ。コレ、最期《さいご》ノ詞《ことば》ナリ。故右大将軍（頼朝のこと）、朝敵ヲ征罰シ、関東ヲ草創シテヨリ以降、官位ト云ヒ、俸禄ト云ヒ、ソノ恩《おん》既ニ山岳ヨリモ高ク」といって、さいごに「タダシ、院中ニ参ゼント欲スル者ハ、只今申シ切ルベシ」。朝廷にいこうとする者は、いま申し出よ。

たしかにおっしゃるとおり、北条政子はシェークスピア劇中の人物です。

堀田　それに比べたら、頼朝さんなんて、ちょっと公家さんくさくて、落ちます。

司馬　落ちますすね。自分の置かれた位置の明快さがちょっとわかりにくい人です。

ですが、義経を追いやったことでは、頼朝はみごとでした。義経が京都に取り込まれていくのを追いやらないと、鎌倉は独立ができないです。

堀田　その次に殺されるのは実朝でしょう。政子にしてみれば、それはつらかっただろうと思います。母親ですから。

司馬　実朝も京都に取り込まれようとしましたから。

堀田　ですから北条政子という女性像は、日本の歴史の中で、もうちょっとデカくしてもいいんじゃないでしょうか。

司馬　そうです。私は上方の人間ですけども、日本史にいちばん大きな影響をもたらしたのは鎌倉幕府だと思っています。

精神史においては、鎌倉で武士ができあがるわけで、私らが何か迷っているときに、思い起こせるのはやっぱり先祖代々の鎌倉武士の精神でしょう。それは関東から起こったものです。決して平家から起こったわけでないわけですから。鎌倉時代の象徴的人物を挙げよといったら、頼朝よりも北条政子かもしれない。

堀田　鎌倉幕府の武士たちのことを考えますと、これはヨーロッパに暮らしていたせいでしょうけど、思い当たるのはルーテル派のドイツ領主たちですが、彼らは「正統派」に対抗した「プロテスタント」です。

基本的に日本で大きく認識が欠けているのは、プロテスタントを「新教徒」であると訳したことです。カトリックは時間的に古い、プロテスタントは新しいからそれは無理からぬ理由もあります。しかし、プロテスタントというのは本来的に「正統派」であるカトリックに対する抗議派でしょう。やっぱり「正統派」と「抗議派」と初めに訳したほうが、ヨーロッパの歴史を理解するにはよかったんじゃないかと思いますね。

司馬　そう思います。

堀田　現在でも、カトリックのど真ん中にいる少数のプロテスタントたちという者は、日常生活でも突っ張ってますね。私なんか横から見ていても、「なんてまあ、こう突っ張って生きなきゃならんものかな」とも思います。

司馬　アメリカの十九世紀の東部をつくりあげたのはプロテスタント、つまり突っ張り派でした。かれらは、世界史的ななかでの一風景としてわるくありませんけど。ジョン・万次郎に教育をさずけ、津田梅子を保護し、新島襄の情熱に対してなけなしの私財を投じた人々です。みな無償の行為でした。

要するに、突っ張るというのは、いままで教会と神父さまに任せていた生死の問題からあらゆる教義の問題が、自分と神とのあいだでの直取引《じか》になることです。任せるのはなしになった。そうなると神は、垂直に降りてくるそうですな。だから、毎日毎日、一人でいても、寝ても覚めても、神とのあいだの問題があるから、どうしようもないらしい。それがプロテスタントですね。

カトリックというのは、スペインの状況を見ているとよくわかるのですけど、「由《よ》らしむべし、知らしむべからず」というところがあって、村人に聖書も持たせません。聖書は教会にある。神父さまがそれを読んで解釈する。だから庶民の家にはいっさい聖書はない。

堀田　西洋美術というのは、つまり、彫刻も含めて、これが発達したのは聖書がなかったからです。聖書が一般の家にないから、教会の入り口に最後の審判の彫刻を置いたり、絵も、壁面に描く壁画も、劇画みたいなものです（笑）。ダ・ヴィンチの『最後の晩餐』だって、あれは劇画みたいなものですよ。したがって、西洋美術は初めから、見るものとしてよりも、読むものとして発達して来たのです。読む作業が少なくなるのは、印象派以降です。

司馬　ルーベンスの『キリスト降下の図』もすごい劇画です。

堀田　司馬さんのおっしゃった、神が垂直に降りてくるという話ですが、西洋の夫婦はダブルベッドで寝てるでしょう。大抵の場合、ベッドの上にキリストの磔《はりつけ》像があるのです。「あなたたちはあんなものを上に置いて、そんなところでセックスしたりして気持ち悪くないのか」って私は言ったことがある。やっぱりベッドの中まで神さまが垂直に降りてくるのはかないませんでしょう？

司馬　かないません。

堀田　いくらプロテスタントでも。だからあれが要るんですよ。

宮崎　天蓋《てんがい》ですか？

堀田　いや、キリストの磔像が。

宮崎　それで要るんですか。

司馬　あそこでヒューズになるわけです。あそこで食いとめてくれる。

堀田　そうすればキリストが神の垂直に降りてくる意志を受けとめていてくれるから、しばらくのあいだはわれわれはこのベッドの中で何してもいいと。そういう論理になるようですよ（笑）。

司馬　プロテスタントの輝ける時代は、夫婦間でも、性の喜びは感じてはいけないということになっていますね。いまとなると、イエスさまを磔にさせといて、それをヒューズにして、電流を弱めているのかもわかりませんな。

一神論と汎神論の世界

宮崎　日本は世界でいちばん蛍光灯が普及してしまった国で、部屋の中を隅から隅まで明るくしてます。一回戦争に負けたぐらいで、こんなに生活が変わってしまう民族というのもそうないんじゃないかなという気がします……。

司馬さんからアニメーションのテーマとしてむずかしい宿題を出されてしまいましたけれども、闇と天狗さんがもういなくなったというのは、じつにむずかしいところへきていると思うのですけども。

司馬　堀田さんがヨーロッパ人にとってキリスト教は光だと言われましたけど、浄土教では法然さんも親鸞さんも光明です。

数学者の岡潔さんは、浄土宗的な数学を勉強した人で、だから、光明こそ御仏《みほとけ》であると考えていまして、小林秀雄さんと対談したとき、「ピカソの絵には光明はありませんな」と言ったので、小林さんはきょとんとした応答でした。岡さんは自分だけの思考の人で、小林さんと共通していないせいですが。岡さんは、光明と闇とを、単に善悪としてでなく何か汎神論的にとらえていて、神々が住むところといった思いだったのでしょう。

奈良県の多武峰《とうのみね》へ、それも二十年ほどまえに行ったことがありました。多武峰は、明治以後の国家神道のために談山《だんざん》神社と名前を変えられてしまったのですが、明治まではお寺でした。赤や青のきれいな社《やしろ》で、明治以後は藤原鎌足も祀っています。談山神社というのは、何かがあると破裂するとか、山がどよめくとか、いろいろ言い伝えのある神社で、もともと藤原鎌足の祀られるまえからシャーマニズムの場所だったのでしょう。

そこの神主さんは多武峰に赴任してくるまえはほうぼうの官営の神宮に奉職したけど、どこの神社でも何事もなかった。ところがこの多武峰の、つまり談山神社に来てから「怖くてしょうがない」と。神主というのは深夜にお参りするのですが、一人で神前に進み出ていくとき、こう横に倒れて寝てしまうのだそうです。

堀田　大嘗祭《だいじょうさい》で、天皇が深夜にやった儀式と同じだ。

司馬　ですから「ここは怖いところですね」と言っていました。この人は区役所に勤めてもいいような普通の人です。普通の人がそう言うから信用できるでしょう。だから、何かシャーマニズムというものが、見る人によって匂い取れるものもちょっとあったらしいですね。昔からの日本は、汎神論的世界です。一神論的世界は西洋に任せるとしまして。

もう一つ日本について言えるのは、世界を覆うような大法螺《おおぼら》――つまり巨大な哲学をうむ土壌ではなさそうだということです。この理由は、一《いっ》にエホバ[2]やアッラー[3]といった唯一絶対神とその神学をもたなかったからでしょう。私どもは、汎神論ですごしてきました。アニミズム。私などずぼら者でも、谷間に降りて、なにか神聖感をおぼえることがある。するとちゃんとそこに祠《ほこら》があったりする。ですから絶対虚構としての唯一神にはなじみにくいですね。大思想というのは、唯一神と同様、絶対虚構を秘奥の核としてうまれるものですから、どうも私どもがそれをうむとは思えない。またうまなくて幸いだと僕は思っています。

堀田さんの言われた大嘗祭で思い出したんですが、テレビで、天皇さんが大嘗祭のあと伊勢神宮をお参りして、海の廊下というところを通って階段を上っていくときに、あの宮崎さんの『となりのトトロ』に出てくる幼い女の子と同じ上り方でした。こう両足を揃え揃えして、上り降りしていました。

そうするのはなぜかというと、神道では、小さい童子に神が宿っていると思っているから、童子、童女の上り方をする。これはひじょうにいいセンスです。

よく言うではないですか、子供は大人の父である、子供にすべてがあると。子供が持っているイマジネーションというのはわれわれ大人はかなわない、と古代人も思っていたんですね。子供の動作を見て、これは神さまが宿っていると。だから、子供と同じ階《きざはし》の踏み方をすると、神に近づいていけるという感じがあるのでしょう。これは私のつけた理屈ですけれども、神主さんもよくやっています。こういうことが宮崎作品にならないかしらと思っているのです。

堀田　そういう意味では、九州の島のキリシタン文書で、天使を「よか人」と訳したのは、ひじょうにいい訳だと思うんですね。

宮崎　『となりのトトロ』で幼い女の子のした階段の踏みかたは、ただ小さいからそうしただけなんですが、日本、東アジアは子供を主人公にして、子供が活躍する物語が好きです。『西遊記』にも子供の神さまが出てきて、力も技も大人と対等です。これはヨーロッパの人は絶対納得できない。大人と子供が戦って、子供が勝てるはずがないじゃないかということです。同じジャングルを舞台にしながら、ターザンを作る国と、『少年王者』(山川惣治《そうじ》)を作る国の違いがあると思います。これは汎神的世界と一神的なそれの違いからくるのかな、といまお話を聞いていて思いました。

なぜ日本人はガウディが好きか

堀田　東京のアパートに部屋を持っているのですけど、そこの窓から新都庁がまる見え。あれは困る。いやだ。

司馬　ガウディの聖家族教会。そのイメージなのかな。

宮崎　なんとなくトウモロコシに似ている（笑）。

司馬　両方建っているとこがスペインの教会に似てしまった。

宮崎　建築家自身のためのモニュメントといった感じですね。神さまのいない権威主義というか……。

司馬　すごい力学的なカテドラルが目の前に現われたら、これはちょっとショックを受けますもの。

堀田　ガウディのあの変なお寺ですが、なんで日本人はあれが好きなんですかね。

宮崎　私がちょっと好きなのは、重厚な西洋の伝統と違うから、ホッとするせいじゃないかと思いますが。

司馬　李朝の染付けの茶碗の写真集を見ていましたら、描かれている雷模様みたいな柄が、私が描くよりも下手くそなのです。これは民芸的よさの下手くそじゃなく、ほんとうに下手なの（笑）。どうして李朝をもてはやすのかなと思ったのですが、だいたい二百年まえのものだ、となったらもう珍重してしまう。

ガウディだってそうでしょう。ガウディの建築というのは、どうしてあそこが歪んでいたり波打ってたりするのかしらと思うけど、ちっともその説得力はないです。

堀田　あの大聖堂、あれ不法建築なんです。ガウディって人は恐らく教会、つまり神さまの家を建てるのだから市の許可なんかいらんと思ったんだな（笑）。バルセロナ市からもマドリッドからもいっさい援助を受けてない。だから市の議会も援助金出せないんです。

宮崎　いまだにそのままずっと不法建築なのですね。すごいです。

堀田　このあいだ、新しい彫刻家に頼んでいたキリスト像の彫刻ができてきたんです。そうしたら、古いキリストが放り出されて、新しくなった像というのが、腰布のない、ペニスつきのほんとうのヌードのキリストだったのでバルセロナ市じゅう大騒ぎになった（笑）。でも、不法建築だから撤去しろといえない。

ガウディは、建築に時間がかかるだろうということを、「私の注文主はお急ぎではない」という言い方で言ったんです（笑）。

司馬　神さまのことですね。

宮崎　建築家ってのはたいへんな政治家ですね。よくあれだけスポンサーつかまえたと思いました。

映画人も、スポンサーをだましたいと願っているのですが、小心でだましきれません。

司馬　だから建築家の顔というのは、普通の人の顔と違いますな（笑）。

むろん、そうでない建築家もいます。私はうまれて初めてニューヨークでディスコに行ったのです。むろん踊れませんから、ただ見ただけでした。磯崎新さんが劇場を教会のカテドラルをイメージして改造した[4]ディスコです。磯崎さんはそれまでディスコを見たことないけど、頼まれたからと、ディスコについて一生懸命勉強して改造したそうですが、なんとなくよさそうな感じがしました。

堀田　カテドラルをイメージしたというのはいいですね。ディスコも教会も人が集まるという点で同じですし、教会音楽というものは、そもそもみんなエンタテインメントだったわけですから共通しています。

司馬　バロックの教会音楽はエンタテインメントだから、いま聞いても、昔の人が浪花節を聞くようないい気持ちですな。

堀田　だからボルドーの大きい教会に行ったときに、オルガニストが上のほうで練習していたので、私が下で手を叩いた。ほかにだれもいなかったですけど。そうしたら、ぱっと下を見て、それからやおらビートルズの「イエスタデイ」を弾いた（笑）。教会音楽ではないはずなのに、教会の雰囲気とじつに合うんだ。ちっとも不思議じゃない。ビートルズをあの巨大なパイプオルガンで弾きますとね、低音なんかじつにいいんだ。

司馬　すごいですね。それはカトリックが成功したもとでしょうな（笑）。

堀田　ケルンの大教会のパイプオルガンなんていうのは、聞いていると疾風怒濤、ちぎっては投げ、ちぎっては投げ、という感じだ。

　ケルンの人に聞いたのですけども、戦争のとき、爆撃されて、周りが全部燃えたでしょう。周りじゅうの炎の中に立つカテドラルというのは、それは背筋が寒くなるほどすごかったそうです。

司馬　そうでしょうな。

堀田　余談ですが、しかしそれだけの建築物であるのに、いくらケルンは街が狭いといったって、すぐそばに駐車場をつくらなくてもいいのに（笑）。時代の要請だといっても、考えられない。どういう感覚かと疑ってしまった。でもあのビートルズはじつによかった。

宮崎　アイルランドでは、独立するまでは、若者までみな教会に行くような、じつに熱心な教徒ばかりでしたけど、独立したらもう行かない。

司馬　これはひじょうに大きな問題です。独立するまでは、アイルランドにおけるカトリックはほんとにアイルランドそのものだったのですから。

　[5]アングリカン・チャーチの出店としての英国国教会がありました。けれどもそれはプロテスタントの仲間であって、泥棒と同じだとアイルランド人は思っている。カトリックこそわれわれの皮膚であり、内臓であり心臓であると言っていた。

　ところが、宮崎さんがおっしゃったように、独立してしまったらカトリック教会へもあまり行かないです。だからいまのアイルランドでは、カトリック教会がさまざま口出してはいるけれども、ひとびとの心の中ではさほど重要な役目は果たしていない。

宮崎　そうするとモノだけになっちゃうんです。ＣＤを持ってるか、自家用車を持ってるか、クーラーを持ってるか。もうじつに情けない展望をもって二十一世紀に突入していく（笑）。

固陋《ころう》な教会

司馬　ロシアにおいては、経済社会が未成熟のままブツブツブツブツと切れてしまっている。しかしこれは〝タタールの軛《くびき》〟のせいではありますけど、タタールの側から言わせると、おれたちの草原だった土地にロシア人が勝手に畑を耕して農業やってまで国をつくった、という言い分もありますな。

堀田　職種がひじょうに少ない。それは十九世紀まで、スペインもロシアとおんなじだった。

司馬　堀田さんに悪いけど、やっぱりスペインでも、経済社会が未成熟なのはあの固陋《ころう》なるカトリック教会のせいかもしれません（笑）。

それからロシアのあの固陋なるオーソドックス教会、いずれも人々が好奇心を全部失う。つまり教会にとって好奇心は不必要なものなのです。人間には好奇心は不必要で卑しいものだということです。神父さんが、めんどうみてるんだから俺の言うとおりにしろというロシア正教会と、スペインのカトリックとやっぱり似てます。

堀田 それから南イタリア。コルシカ、シシリーも固陋だ。経済的にも遅れっぱなし。

司馬 どこも農業しかなくて、広域経済に参加しようとする意識はうすい。

堀田 医学の面でいうと、昔、ヨーロッパに魔女というのがいたでしょう。この魔女というのは、女の患者さんが、とくに貴婦人が男のお医者さんに肌を触れられることを嫌った。しかし、お医者は必要、薬も必要だ。それで薬をつくるための女が必要になった。ヘビの頭だとか、ネズミだとか、それとどくだみだの薬草をいろいろとぐつぐつ煮なきゃならない。そんなことは町の中でやれないですよ。森へ行ってそこで大きな釜で火をたいてぐつぐつやるから、魔女ということにされたのですが、ほんとうは婦人用の医者なんですよ。

宮崎 婦人用の医者を火あぶりにしたら、困るんじゃないですか。

堀田 そのころ、技術者という言葉がないでしょう。ですから、レオナルド・ダ・ヴィンチなんていうのも完全に魔術師ですよ。ただ、ダ・ヴィンチは王侯に仕えていました。だから、魔術師扱いにされなかったですけど、完全に魔術師です。中世では、上から俯瞰すれば、魔術師の末端がレオナルド・ダ・ヴィンチ。時間をくだってきたいまから見れば、大芸術家ということになりますけど（笑）。

司馬 ダ・ヴィンチというのは、魔術的なほどに解剖学的リアリズムを絵にすることができた人ですね。筋肉を筋肉のままに描けた最初の人です。あれから医学は進歩する。つまり、それまで医者は人体図を持っていません。簡略なる図面を持っているだけでしたから、ダ・

ヴィンチによって解剖学が進歩し、ひじょうに医学は前進するわけです。

堀田　男女性交の原図まで描いています。

司馬　私は見たことがないのですが、性交しているところへ行かせてもらって描いている。魔術師だからはいれたのかどうか知らないけれども。

堀田　大英博物館秘蔵だ。性交の断面図というか解剖図まであります。絵描きといっても、たとえばベラスケスだって、ゴヤだって、宮廷画家なんて言われているけど、待遇は庭師と同じだもの（笑）。

ヨーロッパの貴族階級は自ら芸事をしないでしょう。有名な音楽家や作曲家で、名前にフォンのついた人はひじょうに少ないですよ。カラヤンはフォンがついているけどアルメニアの人ですから。

音楽家はもともとご飯の伴奏に呼ぶ人なんだ。絵を描く人は、壁に飾る絵を描いてくれる人なんです。それは軽蔑関係では全然ない。むしろ尊敬ですけどね。

日本にはモラルがない？

堀田　明治十五年だったかにできた軍人勅諭というものは、軍人は信義を守るべし、軍人は質素なるべしとかということが五カ条あるわけですが、それをよく読んでみますと、信義を守らないとたいへんなことになるから、軍人は信義を守れ、軍人は華美であったりすると、これもたいへんなことになるから、質素であってくれと、そういうひじょうに下手《したで》なものですね、あれは。

司馬　そうですね。

堀田　天皇が兵権を失ったことについてもひじょうに下手《したで》の反省があるんです。それが明治二十三年の教育勅語になるととたんに居丈高になっている。頼むから質素でいてくれと言っていたことが、十年近くのあいだで、急に居丈高になってしまうんです。あの変化というのは私はじつにみごとな変化であるというか、驚くべき変化だと思いました。この日本の天皇制というものの中で。

司馬　そうですね。

堀田　それは、伊藤博文が憲法を調べにヨーロッパへ行って、王宮というものは広場を挟んで大聖堂と相対している、と認識するところからはじまったと思うのです。

王宮のほうは国家を統括するという事務を担任して、大聖堂というものが国民の精神生活を担当しているということになっているのを見て、伊藤博文さんはつくづく考えたらしい。いったい我が国のお寺さんとお宮さんは、国民の精神生活を担当できるかどうか。とうていだめだ。それならば、大聖堂に当たるものをこちらの国家のほうへもってきて重ねてしまわなきゃだめだということで、それで教育勅語における天皇というものは成立したようにみえました。そういうところは伊藤博文さんは考えたものだな、と思いましたね。

司馬　山県有朋《やまがたありとも》が西周《にしあまね》に軍人勅諭を起草させるのは、明治十年の西南戦争が終わったあとでした。西南戦争は、陸軍大将・西郷隆盛の反乱ですから、近衛《このえ》の士官が全部、薩摩系の人は反乱軍に加わった。

これでは軍人を政治にタッチさせちゃ具合悪いんだというのが、軍人勅諭をつくる第一の動機で、明治十五年の公布のときの文章は多分に福地桜痴《おうち》⑥の筆がはいっていたらしいですな。だから諄々《じゅんじゅん》と諭《さと》す文体になっています。

明治二十三年の教育勅語は、漢学者の元田永孚《ながざね》⑦の文章ですから厳かに始まる。元田は教育家でもあって、おっしゃるように教会が言うべきことを言っています。「夫婦相和し、兄弟《けいてい》……」。私は小学校時代、頭の中が真っ白で、あれをよく知らないんです（笑）。

堀田　ほんとに、教会の言うべきことを言っているんですね。

日本に布教にきていた牧師の家の男の子の家庭教師をしていたことがあります。牧師さんは北陸全部の教区を担当していますから、忙しくて家にいない。お母さんはヒステリーだから（笑）、私が、日本語になじみすぎたその子に英語を教えたんです。お母さんが、ついでにモラールも教えろと言うんです。モラールといったって、修身の本を持ってきてやるわけにもいきませんから、しょうがないなと思って、私は教育勅語で、「ユー・マスト・リスペクト・ユアー・ペアレンツ」って教えてた（笑）。ですから、戦争が始まったときに、その坊や、ボブといいましたけれど、あのボブが向こうからアメリカ兵になって来ると嫌だなと思いました。

もう一つ、モラルと関連した話ですけど、九〇年にベルリンに行きましたとき、朝日新聞のシンポジウムに出ました。向こうの出席者は元首相のシュミットさんとかそういう人たちでした。私が日本の現状みたいなことを説明しましたところ、聴衆のほうから質問がありまして、日本にはなぜモラルがないのかと言うのです。たとえば自分はソニーのなんとかという製品を持っているけども、パーツがないといって、どんどん新しい型に変えてしまうと言うんです。一つのモデルを長く堅持するということも、モラルの中身なのですね。

司馬　モデルチェンジが激しすぎるんだ。

堀田　そういうそれほど重いことではない話も、モラルがないということの前提にはいっているのだと思うんです。

私はそのとき、その返事として開口一番、「私たちはアリストテレスの弟子ではない」と言ったんです。「ウィ・アー・ノット・ディシープル・オブ・アリストテレス」。アリストテレスの弟子ではないということはどういうことであるかということを説明しなきゃならなくなって、私自身が四苦八苦しました。

それで結局、日本にも、マルチン・ルターとか、ジャン・カルヴァンのような宗教改革者というものはいるんだ、あなた方は名前も知らないし、翻訳もないだろうかもしれないけども、たとえば親鸞とか日蓮とか法然などという人は偉大な宗教改革者であるのだ。そういう宗教改革があったということは、あなた方と対等なだけのモラルがあるということだから、よかったらこちら側の親鸞、日蓮などのことをすこし勉強しろと言ったのです。

司馬　たしかに西洋と対抗できるだけのモラルが日本にはありました。江戸時代が終わるまで、要するに堅門徒《かたもんと》という地域がいくつもありました。安芸《あき》門徒、播州《ばんしゅう》門徒、北陸門徒、東海門徒。みな親鸞の徒輩ですよ。

　この暮らしというのは、極めて自律的でした。たとえば門徒は肉食、妻帯はいいのですけども、余分な殺生はしちゃいけない。たとえば明治になってからの播州の農民の一人に聞きますと、ハエたたきはいけない。ハエとり紙なら向こうからくるからいいと（笑）。

宮崎　それはいい考えですね。

司馬　門徒はイノシシ殺して食べても、牛肉食べても、生きるのに必要なら殺生していいんです。でも何をしてもいいのかということにはなってなくて、ほかの宗旨より倫理的です。倫理というのは西洋から出たものですから、この場合、倫理という言葉を使うのは変ですけども、自律的です。だからちゃんとモラルの伝統があるのですけども、われわれ日本人のほうが先に忘れてしまいました。

堀田　ハエとり紙はハエが向こうからくるからいいというのはいいですね（笑）。

司馬　私の友達で北陸・福井の人で、同志社でスペイン語を教えていまして、五、六年まえに亡くなった大島正《ただし》という人が、戦争中に同級生が兵隊にとられるたびに見送りに行った。すると、「お念仏を忘れるな」と友人の母親が駅頭で言ってるのだそうです。その同級生が南中国に駐屯していたとき、ひじょうに小部隊なのに敵の大部隊と戦わなくてはいけなくなった。いざ突撃ということになったら、越前の兵隊たちは「南無阿弥陀仏、南無阿弥陀仏、南無阿弥陀仏」と唱えて敵に突き進んでいったそうです。

これは軍国体制をとっていた当時の国家が要求しているスタイルを超えて、古くからのスタイルで突撃したことになる。だから門徒だけがかろうじて、何かそういうモラルをもってたみたいです。十三世紀の親鸞のおかげです。それと鎌倉武士の「名こそ惜しけれ」の精神にもそれはあります。やたらと十三世紀が出てきますけども。それほど輝かしかった。

6　日本人のありよう

「名こそ惜しけれ」の生きかた

宮崎　島尾ミホさんの『海辺の生と死』という作品がありますね。じつはあれを映画にすることが可能かどうかという話をずっと仲間内でしているんです。島尾敏雄は、特攻隊として死ぬつもりでいたのに生き残って、とつぜん生きなきゃいけなくなって、私小説作家になられた。

島尾ミホとロアルド・ダールのあいだにあっただろうと仲間と話すんです。ロアルド・ダール①ですが、戦闘機乗りだった彼があの島に行っていたら、どういうことが

司馬　ダールのほうが痛快な個人ですな。ダールというのはこのあいだ亡くなりましたが、ウェールズのうまれとなっているんだけど、ほんとはノルウェーの人ですね。お父さんが商売の関係でイングランドのブリテン島にきてて、たまたまウェールズの屋敷でうまれたんでしょうけども。

あの人は名門のパブリックスクール出ているから、外国系でありながら大学行かなくてもいいぐらいのいい待遇を社会から受ける。仕事として石油か何かの販売のために、ライオンとかトラとかが好きだという理由からアフリカへ行っちゃうので、お母さんは悲しむわけで

すよ。大学へ進んで、もっと学問をしたらどうだと思うんですけどもね。

　そこへヒトラーとの戦争が始まった。アフリカで石油売りをしていたダールはその日のうちに兵隊に志願してしまうんです。二メートル近い背の高い人ですから、飛行機には無理なんですけども、飛行隊に志願して。天才的な運動神経はあったんでしょう、習ったばかりの飛行機で、ナチの飛行機を落としちゃう。そういう自己完結を、その場その場でしてるわけです。そこでは愛国心的なことも何も言わない。それをホワッとした感じの喜劇的な作品にする。作品には愛国の悲壮さとか、自己犠牲のはげしい陰鬱などいっさいあらわれていなくて、操縦をするという筋肉的な、スポーティな陽気さだけが出ています。

　一方、島尾さんのいた加計呂麻《かけろま》島というのは、あのへんでは大国の奄美大島がドーンとあり、その大島から海峡を一つ隔てたところの島です。島尾さんはまじめな、いかにも東北の秀才という感じの人です。高等商業、大学と九州で、なかば九州人化して島に予備士官としてきていた。いざとなったら粗末な特攻ボートか何かで、撃って出ていくはずだった。しかしついに出撃することなく敗戦になる。それが生涯のトゲになって、私小説の世界を歩まれたわけで、それはひじょうにみごとなんですけども、ダールならもっと痛快に個人として完結したでしょう。

宮崎　そうなんです。そこで話が止まってしまうのです。ただ、ミホさんが書いた島尾像というのに、ものすごく心打たれますね。

司馬　打たれます。

宮崎　完結しない生き方というのにものすごく惹かれる一方、これは映画にならんというこのジレンマ。

司馬　つまり、島尾さんはもともとちょっと謹厳で、立派でありすぎるような人柄でしたけど、私小説を書くといよいよ透明化する。自らが小さな神になる。だから、挙措動作が自分の哲学の中で完結した人格です。

日本の私小説というのは小さな哲学だと思います。私は志賀直哉さんを存じませんが、阿川弘之さんなどのものを読みますと、ご自分を、ご自分の好みどおりに芸術的なほどに完成させた人格のようですね。いずれも、私小説を書いていくことによって、禅坊主が禅修行するように透明化していく感じがあります。

堀田　そう、そうです。

司馬　だれがみても志賀先生は立派だという人になっていく。

堀田　しまいに立派になりすぎて、作家としては、いなくなっちゃった（笑）。

司馬　だけど、同じく私小説の要素のある作品を書きながら、ダールは、愉快に愉快に暮らしました。

宮崎　話は変わるようですが、日本の陸軍は年功序列のまま戦争やってましたね。それを知ったときは、ほんとうに驚きました。

司馬　たいへんな年功序列です。そして弱気の発言は全部だめ。会議をして、こんな戦争やっちゃいけないという発言したら、少将になる人でも大佐どまりです。しかも上の人の意に沿うように組織ができあがっているから、ナチと本気で戦ったダールのような自己完結した人が一人も出なかった。上にも下にも。

堀田　私は、戦争中に軍令部臨時欧州戦争調査研究部という長い名前のところにいたんですけど、そこに毎朝、鎮守府からくる官報みたいなものがあって、その下のほうに軍艦の名前が、軍艦何々、何々、何々と並んでいるのです。その横にぜんぶ、「艦籍を削る」と書いてあるので「艦籍を削るってなんのことじゃ」ってきいたんです。そうしましたら、それは沈んだという意味だというんです。はあ、なるほど、艦籍を削るとはそういうことか。人が死んで戸籍を削るのと同じ。

司馬　つまり、英語圏では、はっきりと沈んだとか、何人殺されたという言葉をちゃんと普通に使うのに、日本は玉砕したとか雅語に近くなる。とにかく言葉で巧みに本質をすり抜けるようにできていますですね。

堀田　それは敗戦ではなくて、終戦というのと同じ。

司馬　だから、カエルの卵のゼラチンの皮膜と同じようなものが日本にあって、またわれわれ日本人の心の中にもあって、卵が赤裸になることを恐れるところがありますな。個が赤裸になることを恐れる。

宮崎　そうですね。だからダールがうまれてこないんですね。

司馬　ダールがうまれてこない。ダールを見ると、こんなすばらしい青春があって、中年があって、老年期があると感じます。これはダールがすばらしいんじゃなくて、ヨーロッパ人がすばらしいんだということができます。私はべつにヨーロッパびいきじゃないんですが。日本人が西洋のこうした倫理学に対決できるのは、「名こそ惜しけれ」という意識じゃないでしょうか。これは鎌倉武士の基本でした。つまり、そういうことをしちゃおれの名にかかわるという精神のありようですが、この一言で西洋の倫理体系に対決できます。ほとんどの日本人は、「名こそ惜しけれ」で生きてきました。

この場合の名というのはいったい何かといったら、自分の名なんです。有名なる堀田善衛先生の名じゃなくて、何か自分の存在をかけた意味だろうと思うんです。だから日本人の存在感の薄さというのも、これで私はちゃんと蓋と本体をきちっと合わせることができると思います。「名こそ惜しけれ」で、われわれはやっと二本の足で立って、世界の公道を歩ける。

ザビエルがほめた徳目

堀田 「この国」という言葉遣いは私は島崎藤村から学んだのですけど、藤村に一度だけ会ったことがある。あの人は、戦争をしている日本のことを「この国は、この国は」と言うんだ。その伝でいくと、この国では、たとえば高速道路でのように、人の乗った車よりモノを運ぶトラックのほうが偉いんだ。困ったものだ。

司馬　モノのほうが偉いようですね。『番町皿屋敷』は、お菊さんという後で幽霊になる女性が、お皿を割ったために殺される。

しかしフランシスコ・ザビエルが感動的に書いていますが、ヨーロッパでは富に栄える者のみが正しくて、貧しい者はそのことを恥じるけれども、この国の民は貧しさを誇りにしている、これはクリスチャンになるにふさわしい民族だということを報告しています。

そもそも日本人は、ここ最近のように こんなに富を得ようとはだれも思ってなかった。どちらかというと、われわれは千数百年来、食っていければいいという理想だけをもっていましたし、江戸時代の侍も明らかにそうでした。これは万人がそうでしたね。時々、奇妙な人が成金になるだけで、その人をばかにしていました。そういう意識があるかぎり、日本人は大丈夫だと思いますね。私はそれはじつによくわかるんです。その点わりあい感じはいい国だとは思うんです。

ところが、くずれつつありますな。このあいだ、検事が汚職して何万かもらった事件があったのには、もう暗然とした。カトリックの神父さんが独身であるように、検事は清貧でなければならない、と自他ともに思っている。検事であることの貧乏を楽しむか誇りに思うために、一生懸命勉強して検事になるんでしょう。貧乏であることでみな尊ぶわけでしょう。それが汚職してもらったら困る（笑）。

堀田　今朝の新聞を見たら裁判官までそうだという。これは度しがたい。日本の将来も度しがたいね、これは（笑）。

貧乏であることを誇りとしているということの伝統は、いまヨーロッパでのほうが目立ちます。

たとえば中産階級以下は、それぞれ庶民であることを楽しんでいる。上にいこうとは思わない。昔のパリでは、ルイ・ヴィトンのものを持つのならば、自動車はロールス・ロイス。そういうふうになっていたわけでしょう。だから中産階級以下は、そういう高級品を持とうとはまったく思っていないわけです。

司馬　「武士は食わねど高楊枝」といって、侍は貧乏、町人は金持ち。だけど侍は尊ばれている。それはヨーロッパでも質素というのは貴族の徳目の一つです。だからわれわれ日本人はいままでいいモラルをもってきたんだけれども、いまからは再びちょっと開発せんとだめですな（笑）。新しい事態がこうやって起こっては。

堀田　スペインのドン・ファン・カルロスという王さまが銀座の服部時計店へ行ったとき、真珠がずらっと並べてある、それ見て「われわれのような階級には手にはいらんもんだ」って言った（笑）。

宮崎　成金になるとしばらくの間、熱が冷めるまではしょうがないでしょうね。なんでも買いあさった挙げ句、もうどうでもいいやと思うようになるまでは。イギリス人だってここへくるまでものすごく傲岸《ごうがん》な時代があったでしょう。

司馬　そうそう。夏目漱石はロンドンの街を歩くと、イギリス人は全員高慢な顔をしているという。なるほど、いま行っても高慢な顔してますな（笑）。アイルランドに行くとみな和やかなんだ（笑）。

宮崎　和やかで居心地いいところでした。

日本の中の国際化

宮崎　自分自身がものを考えるようになったときに、左翼になろうかと心情的に思いました。実際は『資本論』も読めなかった人間ですが。いまでもちょっとそうです。

伝統的なものすべてが戦争に日本人を運び込んだ犯人であって、それを「古い上着よさようなら」と脱ぐしかないんだと。だから礼儀作法も敬語もあえて覚えない。そうするしか、残念ながら自分を確認するよりどころが見つからなかったんです。

その結果、自分の子供たちを育てるとき、ほんとうに行き当たりばったりにやってきただけ、というじつに寒々とした思いがあります。

堀田　戦時中に左翼だった人で、満鉄にいたり大使館を手伝っていたりした人は、戦後は荒れましたね。酔っぱらって、まあ、ほんとに荒れました。

司馬　〝びよい〟というのは大阪弁で〝堅牢でない〟という意味ですけど、日本の左翼はびよいですね。機械でいえばすぐ壊れるという感じの言葉です。

そのわけは、日本史というものをリアリスティックにみてこなかったからです。たとえば〝天皇制〟というだけで、日本がすべてわかったような気になっていました。

他の人間を何万人も農奴にしていたというロシアでは、ツァーの首を切ればそれでロシア革命は成立します。その革命の成立を、そのまま日本史に対しても同じ思い込みで解釈していた。天皇制という実態のない言葉をつくって、それをロシアにおけるツァーのように敵にしてかかった。

堀田　中国で『白毛女』という芝居を見せられて戻ってきてから、中村光夫に「あんなものターザンじゃないか」と言ったら、中村光夫、怒ったな。あの人は昔、左翼で、革命中国へ行ってひじょうに興奮しましたね。青年時代の左翼がいっぺんに戻ってきてしまった。

司馬　新中国成立の初期に訪中した旧左翼の人たちは、自分自身の観念の中で喜んでいました。それが、他のふつうの日本人から見ると思想として惨めな姿でした。惨めというのは、生きものである中国を見ずに、自分の観念の中で切り紙細工をしていたという意味です。

宮崎　観念的にしかものを見られない弱点は、ほんとうにありますね。ピンポン外交のときに、国挙げてこんにゃくになっちゃうんですね。じつに手玉に取りやすい民族です（笑）。

堀田　どこかで講演したときに、日本人はいましきりに国際化、国際化と言いますけども、みなさんは国際化ということを日本人がどこかへ出て行くことのように思っていらっしゃるかもしれませんが、国際化ってものは、日本の中の国際化であって……。

司馬　そうです、いちばんだいじなのはそれですね。

堀田　近所近在の半分が外国人になるとしたら、そういう国際化が実現したとしたらどう思いますかって言ったんです。そうしたら、聞いてる人みんなシーンとなっちゃった。

司馬　そうです。ほんとうに英語をしゃべってどっかの国で仲良くパーティをやって帰ってくるのが国際化じゃありません。

堀田　奈良朝時代、奈良[2]の町は国際化されていて、半分ぐらい外国人じゃないですか。

司馬　そうかもしれませんね。奈良朝の人たちは外国人、内国人、という意識がはっきりしなかったから、明日香は漢人《あやひと》というか、朝鮮に存在した古い楽浪郡《らくろうぐん》の中国文化をもっていたひとたち――そういう知識人の集落でした。ですから、恐らく、「明日香風《かぜ》」という言葉もあったぐらいですから――万葉の「妥女の袖吹きかへす明日香風」――ナウイところだったのではないでしょうか。

　むろん漢、唐の都・長安だって、人口百万人のうち何パーセントかはイラン人だった。そうでないと長安の輝きはないんです。世界有数の国際都市だったから。その後『唐詩選』の詩人たちも長安を礼賛した。結局そのときだけは中国は外に開かれていましたが、その後、宋の時代にはもう内国、内国、内国……で今日に至っている。長安の栄光というのは、国際化のものでした。

『長安の春』の著者の石田[3]幹之《みきの》助《すけ》さんが、漢詩を綿密にピンセットでつまみあげるようにして発見するのですけれど、当時、長安のバーにはやっぱりカウンターがあるんですな。イラン系の女の人がバーの主人です。ママさんです。それでカウンターの後ろには酒棚があって、中国酒でなく葡萄酒が出なければ長安のバーではないわけ。それほど異国的な文化、風俗が流行してた。

宮崎　いま日本のバーでやっていることは、昔、中国でやってたわけですね（笑）。

司馬　なんだか変な気持ちがしますね（笑）。

これまで日本には外国とうまくコミュニケートした、いい形がありましたでしょうか。

堀田　ないと思いますね。ただ、いい形というものは、個々のケースではあった。漱石さんはえらい苦労したけど、森鷗外さんはわりあいにスムーズに、ベルリンにいたみたいですね。だから、個々のケースではありますけども、日本人と総称されたようなケースでうまくいっていたことはないんじゃないでしょうか。

国のレベルでいうと、生活でも軍艦主義で、戦闘能力最高、居住性最低です。だからパリで飯食ってたとき、そのときいっしょだったフランス人が、「あのビル見ろ。いまもまだ電気ついて、働いているのはおたくの連中だ」と言いました。晩の十時ごろでしたけど。

彼は「われわれには三つ義務がある」というんです。一つは、職場における義務。つまり働くこと。二つめは、家庭に対する義務。それから三つめは、地域に対する義務。この三つの義務をわれわれは果たさなきゃいかん。ただ二種類の人だけが二つの義務を免除されているという。それは軍人と囚人。

司馬　はあ、なるほど、うまい言い方がありますねえ。

堀田　軍人と囚人は地域に対する義務、それから家庭に対する義務から解放されている。職場に対する義務は、囚人にとっては刑期を果たす義務で、軍人にとっては戦闘の義務に当たる。ところがその市民が果たすべき地域に対するのと家族に対する義務を、日本人は果たしていない。そういう考え方があの連中にあります。

宮崎　どうなんですか、ヨーロッパの高度成長期というのは、おやじたちはみんな死に物狂いで働いたんじゃないでしょうか。

堀田　そうだと思います。産業革命のときの労働者というものは、ほとんど奴隷労働の再来のようなものでした。

司馬　イギリスはとくにそうですね。

宮崎　時期がずれただけなんじゃないかという気がするのですが。

司馬　そのとおりだと思います。働くという点では、たとえば太平洋戦争のときに日本の海軍省、陸軍省の人も、適当な時間に家に帰りましたですな。だから、働くほうは向こうのほうがちょっと上だったような気がします。

そもそも太平洋戦争が始まるまえまでのアメリカ陸軍というのは、世界で二十番めの規模でしかなかったわけですから。それをにわかに大陸軍に仕立てた時期のアメリカというのは、やはりよく働いたんじゃないかと思います。こっち側の日本は、米英撃滅と言っていても、夕方になったら女房のところへ帰った。これはいまのお話とはべつな主題の光景ですが(笑)。

それぞれの八月十五日

堀田　私のおやじが慶応出でして、小泉信三と同級生なんです。戦争の末期ごろに富山の田舎から東京へ出てきたとき、小泉信三の家に、「あなたがいちばんよくアメリカを知っているはずだ。なのに、いまここ東京でもこれだけ空襲が始まっているのに、あなたが主戦論を続けているとは何事ですか」と言いに行った。帰ってきて、小泉信三からスコッチウイスキーを一本もらってきて、そいつを飲みながらえらい怒ったね（笑）。ああいうものこそ売国者だといって怒った。

戦後、小泉信三は皇太子の先生になったでしょう。そのときも嘆いてましたね。なんたる者が皇太子を教育するか。国賊だと言っていましたよ。

『文藝春秋』に寺崎（英成）氏による手記の、昭和天皇の独白というのが出ましたが（一九九〇年十二月号「昭和天皇の独白八時間――太平洋戦争の全貌を語る」）、私は、あんなの読まない、言いわけは聞きたくないですね。

司馬　私はそうは思いません。私は堀田さんと違うのは、中学四年生の昭和十四年ぐらいのときに、公民の時間というのがありました。東北大の法学部を出た先生で、美濃部憲法そのものを教わりました。

基本的にいうと天皇に責任なし。美濃部憲法解釈どおりです。昭和天皇も美濃部学説どおりの憲法講義を受けられたはずです。昭和初年、美濃部が『天皇機関説』で攻撃されたとき、「美濃部の言うとおりじゃないか」と言われたという話があります。

戦前の明治憲法では総理大臣も国務大臣も同じで、それぞれが天皇大権の行使にあたって輔弼《ほひつ》（補佐）の責任をもつ。参謀総長も輔弼の責任をもつ。天皇はエンプティである。最終責任はそれぞれの役職者だ。だから天皇にアクションなしでした。

戦争を起こさないことに関しても、なぜ起こしたんだ、天皇がノーと言えばいいじゃないか、という見方がありますが、ノーといえどもアクションですから天皇の立場では言えない。だから、独白ということになるのでしょう。旧憲法上、独白しかありえない。だから、天皇としても独り言はいろいろ言ったでしょう。

私はあの天皇の独白の中でちょっとショックを受けましたのは、「東条（英機）はいいやつだった」というくだりです。それは東条はいいやつです。たとえばだれかが買収しようと思っても、東条は戦前の女学校の教頭さんのような性格だから、エンピツ一つも私物化しないし、むろん買収もされない。しかしなんとも珍妙なほどに庸人《ようじん》（普通の人）であって、一国の国家をまかせられるような人物ではない。

ともかく東条はいいやつだからというのは、逆に言えばあとはみんな悪いやつだったということでしょう。昭和の天皇は、東条を見たときほっとしちゃったんじゃないか。ほんとうに貧困なる日本政治という感じがして、私は、読んでいてやりきれない思いがしました。

宮崎　私は敗戦のとき、四歳でしたが、八月十五日でほんとに自分たちの前で全部プッンと切れたという感じが、実感としてあるのです。この歴史感覚のブラックホールから、なかなか抜け出せずにいるのですが……。

八月十五日というのは、堀田さんは、どういう日だったのですか。

堀田　私は上海にいました。上海というところは八月十一日が敗戦の日なんです。八月十一日の夜、日本政府がポツダム宣言を受諾するという放送がモスクワ放送から聞こえてきて、それで、あくる朝、目覚めてみたら、私らのいたところはフランス租界に近いところにありましたが、夜のうちにワーッと湧き上がったように周辺の壁に既に完璧に印刷されたビラが……。

司馬　貼られていましたか。

堀田　すごいです。翌八月十二日ですが。「祖国還我、山河光復」と大書してあった。そういうビラがザーッと貼ってあるんです。

八月十五日ですが、原爆投下から一週間か十日たってますから、長崎と広島の原爆の放射能の影響で、九州全土、それから中国地方全部と近畿地方の一部、ここに全部人がいなくなるだろうというデマが上海でひじょうに流布しました。それを否定する材料があのころ、何もないですからね。

そうしましたら、武田泰淳君が、私はそのころ詩人ということになっていたんですが、

「堀田君、詩を一つ書いたから見てくれ」と言うんです。武田君は中国文学者ですから、漢詩を書いてきたんだろうと思ったので、漢詩は読みにくいから「あんた読んでくれ」と言ったんです。

彼は朗々と読みだしたんですが、その第一行は、「かつて東方に国ありき」というんです。もう滅びてなくなるであろうというんです。したがって、われわれは上海という地にあって、中華大文明の庇護下において再建する任務がある、という詩なんです。

その原稿は全部なくなりまして、結局、私の耳に残っている、「かつて東方に国ありき」というフレーズだけが残ってるんですけどね。

中国側のほうからいえば、つまり勝ったわけでしょう、戦争にね。その勝った状況を彼らは「惨勝」という表現をした。

司馬　惨めな？

堀田　そう。惨めな勝利。惨憺《さんたん》たる勝利ですね。勝ったことになって幕を開けてみたら、共産党と内戦はしなきゃならんは、インフレーションはものすごくてめちゃくちゃだは、それから奥地は飢饉でもってどうにもならなくなると。そういう全体をひっくるめて惨勝という表現をつくった中国人というのに、私は感心しましたね。

司馬　そうですね。堀田さんは、いわゆる日本近代史上における数年間の不思議な上海時代を、現地にいらした。その時代のことはそこにいなかった人間には、本で読んでも何をしても感覚として伝わってきにくい。つまり、特別の空気があったみたいですね。だからこの場で私は堀田さんの記憶に対応できないんですけども、中国の戦争というのは、日本人が嚙み込んでいっただけであって、このあたりを概括的にみるのはむずかしいですが、要するにあの戦争は基本的には国民党の国府軍と中共系の八路軍の戦争ですね。

堀田　そうですよ。

司馬　国民党のほうは官軍ですから、暴虐をするんです。略奪もします。古代以来、中国では官軍が略奪をする。一方、水滸伝のような八路軍の人たちは、民衆の中にいる中共系の派ですから略奪はしない。古来そうです。官軍は略奪し、反乱軍は民衆とともにいる。八路軍は水滸伝のほうですし、むしろ水滸伝的でした。毛沢東が水滸伝好きでしたしね。

国民党は昔ながらの明朝、清朝の官軍どおりでした。官軍の兵隊が来たら草木も生えないぐらいに略奪されます。国民党というのも型どおりだけれども、中共勢力と戦う蔣介石は日本と手を握りたかった。日本の陸軍士官学校出ですし。

ところが当時の日本人というのは世界戦略というのがないものですから、蔣介石が自分たちと手を握りたいということをよくわからなかったですね。表向きの、蔣介石のいろんな宣言とかだけにとらわれて、近衛さんもあたふたする。「蔣介石を相手にせず」なんて、声明を出してしまう。これでもう抜き差しならなくなった。

日本軍は中国大陸に暴れ込んでいって、蔣介石の国府軍の足を引っ張りつづけるわけです。引っ張りつづけるあいだ共産勢力の八路軍は、将来の対国府軍戦にそなえて兵力を温存していったわけです。

堀田　あの当時の上海市の周りは、全部共産党軍なんですよ。私が武田泰淳と二人である村へ米の買い出しに行きましてね。自転車に乗って。あとである参謀に、「きょうはあの村へ行って米買ってきた」と言ったら、「ばかもの、あそこは共産軍の村だ」。

共産軍は、上海の周りを取り囲んで町を温存しておいた。そのうち転がり込んでくる、ということですから。また事実そうなった。たとえ日本の軍隊が攻めていっても、彼らは引くだけです。

司馬　引くだけです。それを日本側は勝ったと思って、泥沼にはまっていった。

宮崎　司馬さんの八月十五日は？

司馬　私はその年の早春に、所属していた戦車連隊ぐるみで満州から帰ってきて、敵の本土上陸にそなえるために関東地方にいました。私たちの中隊は、栃木県佐野の佐野小学校に間借りしていました。東京および厚木方面と、九十九里浜にくる敵に対して出ていかなければいけない。出撃していくときは関東の老若男女ともども全滅の日ですから、八月十五日にはほっとしましたよ。これがまず第一に思ったことです。泰淳さんと違って、日本人は亡びないと思ったし、むしろいい時代がくると思った。

戦車隊は飛行機と同じで、構成員のほとんどが下士官なので、私は中隊の下士官が動揺しないように何かしゃべっておけと言われて、軍が解散するとき、学校の教室で話をしました。下士官というのは職業軍人で、私よりも賢くて、職業知識は豊富で、何事もやれる人々でしょう。年齢も上です。だけれども、そのときは勇を鼓して、こう言いました。

「いままで祖国、祖国と言いすぎた。あなたたちは国に帰って、女房をもらって子供をうんで、天寿を全うすることだけを考えよ」

そんな時代が現にきましたが、一面、さびしくもありますな。何かいい意味での気概が薄れたようで。

二つめに思ったのは、なんでこんなばかな国にうまれたんだろう、ということでした。指導者がおろかだというのは、二十二歳でもわかっていました。しかし、昔の日本は違ったろうと思ったんです。その昔が戦国時代なのか、室町時代か、明治なのか知りませんが、昔は違ったろうと。しかし二十二歳のときだから、日本とは何かなんぞわからない。物を書きはじめてからは、すこしずつわかってきたことどもを、二十二歳の自分に対して手紙を出しつづけてきたようなものです。

堀田　それは司馬さん、私なんかも完全に同じですよ。これまでやってきた仕事は、ずっと戦時中の自分への手紙を書いていたようなものですよ。私の『ゴヤ』も、『方丈記私記』も『定家明月記私抄』も戦時中に考えたテーマなんですね。いま書いているモンテーニュ（『ミシェル　城館の人』）になって初めて解放されましたね。こんな予期しない年齢まで生きたせいもありまして。

司馬　いまの人は手紙を書く必要がないから、そのぶんだけ前へ進むでしょう。だから、ひじょうに幸いだと思うんですね。

宮崎　私は敗戦後、学校とＮＨＫのラジオで、日本は四等国でじつにおろかな国だったという話ばっかり聞きました。実際、中国人を殺した自慢話をする人もいましたし、ほんとうにダメな国にうまれたと感じていたので、農村の風景を見ますと、農家のかやぶきの下は、人身売買と迷信と家父長制と、その他ありとあらゆる非人間的な行為が行われる暗闇の世界だというふうに思いました。

　ですから、日本の景色を見ても、水田を見ても、咲き乱れる菜の花畑を見ても、みんな嫌な風景に見えました。嫌いだったんです。それを回復するためにえらい時間がかかりました。

堀田　それはやっぱり手紙が必要だったんだな。

宮崎　『アルプスの少女ハイジ』[4]というテレビシリーズを作るために、スイスに行って帰ってきましたら、日本の景色のほうが自分が好きだったことに気づいたんですね。ずいぶんまわり道をせざるをえませんでした。

日本が大人になる時

宮崎　これから三十年、日本の人口は減りはじめますから、攻撃性を失うんじゃないかと期待しているんです。そして、この島で緑を愛して、慎ましく生きる民族になってくれないかなと。根拠のない妄想ですが……。

司馬　ひょっとすると人口が減る間に、外国系の人が日本人の構成員としてはいってきますね。われわれの二〇パーセントぐらい外国系がはいると思うのです。二十年後ぐらいに。

憲法下にあって万人が平等という大原則がありますから、日本も小さな合衆国になるでしょう。そうなることをいまから覚悟して、飲みがたき薬を飲む稽古をしなければならない。つまり、決して差別してはいけない。差別はわれわれの没落につながります。

堀田　アメリカは二〇五〇年になりますと、白人とカラード、黒人、有色人種のバランスが変わるんですね。白人のほうは高年齢層になって、四五パーセントぐらいになってしまう、もう五十年で。そうすると、アメリカの政治も変わりますよ。

司馬　変わります。現実の問題として、ワスプは少数民族になりましたね。ワスプから合衆国大統領がずっと出てきましたけれども、ケネディだけがアイリッシュですが、その後、レーガンもアイリッシュというふうに、それがふつうになってきた。でもこうなると、アイリッシュもワスプの中にはいりつつありますな。スコットランド系はすでにはいっているそうですから。

日本も、他国の人々がはいってくるときが、われわれが試されるときです。日本国憲法下にあるということだけが、われわれのアイデンティティになっていくわけですから。そのときが、日本がやっと一人前の大人になるときだと思えばいいですね。

宮崎　日本の経済活動の方向は、東アジア全体の現在を考えてとり組まないと、始まったばかりの流民の時代に、取り返しのつかないことになりそうですね。

司馬　よく、日本は管理社会などといって呪う人がいますが、しかし、管理能力のある国は世界じゅうにいくつかしかありません。管理されることが少ない人々が、私どものあたらしい国民になる日がくる。

宮崎　たいへんな覚悟がいりますね。日本は海がありますけど、それでも周辺国から絶対くると思います。億の単位で。

堀田　くるでしょう。まえの西ドイツ首相のシュミットさんと話したときに、私がいちばん胸にガーンときたのは、あなたたちはアジアに友達を持っていないと言うんだね。

司馬　ヨーロッパは、歴史的にも社会的にも均一性ということがいえそうですが、アジアは違いますね。日本史とフィリピン史とはおよそ違う。中国史とも、基本的に違う。これはアジアにおける日本の基本的なしくみの一つです。

シュミットさんの言葉のことですが、じつにきつい。しかし私はこう言い返したい。「ドイツは、ヨーロッパに友達を持つ以外に生きていく道がありませんな」。

つまり、ヒトラーが出ちゃったから、あとはドイツ人であることをすこし消して、ヨーロッパのよき仲間であろうとするほかない。その方向は、ヨーロッパという均一性を考えると、じつに妥当で、平坦な道です。

私は福沢諭吉に同情するんですけど、それは脱亜論のことですが、あれほど攻撃されることないじゃないですか。僕は子供のときからアジアが好きだけど、同時にアジアの人とはうまくやってゆきにくいという困難を感じています。むろんやっていかなければなりませんが。

まったくいっしょにはやりにくいなと思っていました。

堀田　それは私も、この国は初めから脱アジアじゃないかと思うんです。

司馬　そうなのです。それをひとこと言うと、問題が大きくなるから言わなかった。

日本史、とくに十三世紀の鎌倉幕府の成立からすでに脱アジアでした。その後、一度もアジアであったときがない。

堀田　私はアジア・アフリカ作家会議というものを、戦後長いことえらい苦労してやってたんです。それをやった理由は、一つには、どうもおれたちは違うらしい。違うらしいけれども、アジアの中にいることは事実だから、もういっぺん学び直すことがどこかにあるんじゃないかということでね。

そういうところから運動を始めて、二十年からやっていたわけです。ところが、どうも違うんですよ。

司馬　どう考えても違いますな。

江戸時代はヨーロッパ以上に精密な封建制だったと思います。封建制の中で、人間が自発的に物事をやる能力が身につく。そのうえ江戸時代の封建制は、問屋制資本主義と重なってました。ビジネスということは、北前船の船頭にいたるまで身についていた。そして商業的信義、つまり商工業文化をうむわけです。職人文化でいうと、日本人の考え方を製造業に向くようにもっていった。

私は最初に韓国に行ったのは二十数年まえですが、民家を訪ねていったら、みんな柱が曲がってましたですね。よく平気で柱が曲がっていると思いましたですけども、そのときに、江戸の指物師はどうしてあんなに真っ直ぐの障子の桟《さん》を作ったんだろうと思いました。これ、無意味なほどのリーガリズム（法規主義）です。無意味なほどの。

　どっちがいい悪いはべつです。たとえば韓国のほうが一種の自然の中に溶けているしすばらしい、ともいえます。一つの曲がった柱に人間の尊厳を感ずるなら、詩人の世界になります。なりますけれども、近代国家はやはり障子の桟を幾何学的に整えたほうが、興しやすいだろうなと思いました。

宮崎　近代国家をつくるときには、精神的な中心をつくらないと国家にならないわけですが、たとえば韓国は高度成長をしようと思って相当の無理をやっていますね。それから中国もそうですね。中国の、人口密集の海岸地帯はとくにすさまじいことになっていると思うんですけれども、そういう国々は何をもって近代国家をつくるんでしょう。精神的な中心はなくてもできるのでしょうか。

司馬　韓国の場合は、お札《さつ》に十六世紀李朝の李《り》退渓《たいけい》という韓国朱子学の元祖を刷ってます。この人はえらい人です。中国に学ぶことなく、みずから朱子学を集大成して、その教えが日本に影響を与えています。

　しかし朱子学というのは、要するに空理空論なんです。極端に自己賛美主義（中華思想）でもある。李朝の五百年間、その弊害を受けました。江戸期から明治にかけての日本も、その弊害はなくもない。しかし日本の江戸期は、朱子学が正学とされつつも、荻生徂徠《おぎゅうそらい》や折衷《せっちゅう》派《は》という、いわば人文科学主義もありましたから、朱子学を官製のドグマとした李朝ほどの弊害はありませんでした。

宮崎　日本が世界に誇れることは、戦争に一回負けて以来、戦争をやっていないということですね。イラク問題のとき、とんでもない法解釈とか出ましたが。

堀田　国是（憲法）というものを、いたずらにいじってはいけない。私は銭出すだけでいいと思うよ。経済国家だもの。銭こだけで何が悪い。

司馬　日本は、中国がもっている大国の苦しみをもっていません。中国はあんな大きな大地を、国内帝国主義で治めていかなきゃならない。しかも大中国であることが中国人のアイデンティティだと思っている。内部はぐしゃぐしゃにならざるをえない。国内帝国主義という点では、旧ソ連も同じでした。日本はそういう悩みがないですから、だから、世界のよき事務局員にはなれるでしょう。日本はいまのところ偉大な政治家がうまれる土壌とはいえない。それは、一面で幸いというべきです。政治家は諸価値のよき総合者ですから、多様な文化の社会でうまれやすい。それに、日本は教育が普及しすぎていて、これも政治家の型を小さくしている。要するに、日本は専門職を多くうむ風土ですね。

宮崎　そうですね。でも日本はこれから何を頼りにやっていけばいいでしょうか。お金しかないでしょう。

司馬　何もない。だから、私は先ほどの「名こそ惜しけれ」という精神でやるよりほかはないと思います。

7 食べ物の文化

陸がやせると海もやせる

宮崎　日本の陸軍は、兵隊の食事に中国料理を全然採り入れなかったですか？

司馬　採り入れなかったですね。

宮崎　不思議ですね。

司馬　不思議です。

宮崎　油炒《いた》めにすればなんだって食べられるのに。

司馬　コロッケがありましたから、西洋料理はすこしはいります。カツレツもあったような記憶があります。ほとんど森鷗外さんが考えたんじゃないですか。あの人、衛生学出身だから、そうだろうと思います。

宮崎　中国旅行へ行きましたら、ご馳走というのはつまり油の中に浮いてきました。とにかく油をいっぱい使うことによって、お金取ろうと思っていますからね。御飯、ぱさぱさでしょう。だから、おつゆをかけてみたんですけど、つまりは油をかけてた。その御飯を食べましたから、おなかをものすごくやられてしまいました。

堀田　スペインもそうなんですね。オリーブ油をたくさん使う。やはりたくさん使えば使うほどご馳走なんです。

司馬　海の孤児といわれていたオランダ人が独立したがっているのを抑えようと、スペインの王さまが軍隊を送って海上封鎖する。しかし海上封鎖がつづかなかったのは、オリーブ油がだんだん切れてきたからだといいますね。スペインの水兵さんが食べる油、それはオリーブ油。だけど他の国の人はオリーブ油はかなわないですね。

堀田　オランダやベルギーから、スペインへ王さまたちが、ずいぶん来ていましたでしょう。ピレネー山脈を越えてスペインへはいると、とたんにまったく天候が、予想していたのとは逆になる。オランダやベルギーにいたときには、スペインは青空でいい天気だろうと思って来てみたら、じつはカスティリア高原というのは「地獄熱の夏三カ月、厳冬九カ月」というんですね。だから、たちまち風邪引いた。そのうえ、日光が照りつけるものだから日射病になる。料理は全部オリーブ油だから下痢しちゃって、それでいっぺんで王さまたちはスペインという国が嫌になったらしい（笑）。

宮崎　友人の中年の男たちだけでポルトガル[1]へ行ったときは、全員下痢でやられちゃいました。あそこの料理は悲惨でした。最初に魚料理のトマト煮が出たときに、旅の最初でしたから、まずいと言うとこれからの旅が差し支えますから、みんなでうまい、うまいと食べたんですけど、帰国してきてから、あれは犬のえさだと白状しあったんです。

　魚料理といっても、魚は古いし、骨だらけだし、海がやせているんですね。あれだけ陸がやせたら海もやせちゃうと思うんですよ。ポルトガル人は魚をいっぱい食べているけれども、魚の種類も少ないし……。だれがポルトガルは魚料理がうまいと言いふらしたんですかね。ファシスト政権から共和制にかわった革命の後、とくに魚が古くなったと言っていました。

司馬　「陸がやせると海がやせる」という言葉、いいですね。

宮崎　はるかかなたまで行って、鱈《たら》を獲ってきて、干鱈《ひだら》にしてそれを水で戻した料理が名物料理でしょう。それだけでも相当昔から魚が少なかったという証拠だと思います。

堀田　あのポルトガルという国をヨーロッパはもうすこし援助しなきゃいけない。なんといっても貧しい。それはどうにもなりません。

司馬　なりません。やっぱりポルトガルは植民地[2]依存をしすぎました。ごく最近までアンゴラなど広大な植民地を持っていたのですから。

　私は十五、六年まえに、ポルトガル少年合唱団というのが大阪へ来たから、行ったんです。音楽に趣味があるわけでなくて、チケットがあるから行ったのですけど、壇上に並んでいる少年たちのほとんどがマカオ（澳門）の中国少年でした。

宮崎　リスボンで食べた中国料理、うまかったですね。我慢できずに中華料理に行ったんですけど（笑）。マカオをへて、リスボンにやってきた中国人の店だったかもしれませんね。

ジャガイモがヨーロッパを救った

司馬　スコットランドの首都にあるエジンバラ城というのに行きました。大広間に兵隊の甲《かっ》冑《ちゅう》がそろえてあるのです。退役曹長のような人が説明してくれる。十七世紀、クロムウェル[3]があそこまで押しかけていったのですが、そのころの甲冑が飾られています。私が着ても窮屈かなと思うぐらいに、どの甲冑も小さい。その説明役の退役曹長はスコットランド人の雄大なる大男ですが、「このころは背丈が小さかったのですか」と言ったら、「当時は栄養が偏《かたよ》ってた」と嫌な顔して答えました。

オランダへ行きましたら、やはり十七世紀の軍服、靴など残ってました。一六五センチぐらいの身長のものでした。そうなると、ヨーロッパ人が大きくなったのは十七世紀ぐらいからかと思って、帰ってきてこのことを江上波夫さんにききましたら、答えは即座でした。オランダ人が大きくなったのは、インドネシアを植民地にしてからだと。つまり、十九世紀になってたくさん食べられるようになったからだとおっしゃる（笑）。人類はすこしずつ変わっているのだというあたりまえのことながら、小さな感動をもちました。

堀田　それはジャガイモというものが、ヨーロッパ人の食生活に、これは革命的どころでない影響を与えたからです。十五世紀に南米ペルー原産のジャガイモをコロンブスが米大陸から持ってきて、民間にまで普及したのは十八世紀の中ごろ以後でしょう。それでなんとかお腹がいっぱいになるようになった。それまでは、ジャガイモの花がきれいだということで、もてはやされていたらしい。

ですから十六世紀ごろの田舎の貴族の生活というのは、大麦のおかゆと牛乳くらい。それと、森の中で年に二匹か三匹猪《いのしし》が獲れるくらいのものでしょうね。それを塩漬けにしておいた。そんな程度で、牛肉およびヒツジの肉なんていうものは、十六世紀ごろの貴族でもお祭りのときにようやく口にできるくらい。かつてのヨーロッパの食生活のひどさというものは、日本で考えられないほどでした。

ですからジャガイモの重要性というのは、これはたいへんなものです。ヨーロッパの人たちが、なんとかお腹いっぱい食べられるようになったのは、ジャガイモのおかげなんです。だから、フランス語でジャガイモのことをポム・ド・テールというでしょう。地面のリンゴです。

宮崎　アイルランドなんてジャガイモがなかったら国になってなかったですね。

司馬　アイルランドはジャガイモ以前は何食ってたんだろうと不安になるぐらいですね。

堀田　いや、何も食べてなかった(笑)。

司馬　アイルランド人の書いた『ジャガイモの伝来』という本があるのですけども、やっぱりジャガイモへの思いというのはひじょうに強いものがありますね。

そしてドイツ人もジャガイモを食べはじめた。オランダ人なんてのは、ゴッホが描いた『馬鈴薯《ばれいしよ》を食べる人たち』をじっと見ても、ほかにおかずがないんですね（笑）。

宮崎　何もない。ジャガイモだけですね（笑）。

司馬　日本の年号でいうと明治四十年前後に、アイルランドでジャガイモの病気による大飢饉がありました。あの葉っぱになにかつくジャガイモ病が流行《はや》りましてですね。

堀田　腐ってしまう。

司馬　それはあとで、ボルドーのブドウ畑でまいているボルドー液[4]をジャガイモにもかければ簡単に退治できるということはわかるんですけど、そのことがなかなか思いつかない。ケネディの先祖も、たしかレーガン大統領の先祖も、ジャガイモがなくなったので、それでアメリカへ行ったんじゃないですか。ジャガイモ飢饉がアメリカの劇的な大統領と、演劇出身の大統領をつくった（笑）。

宮崎　百万人死んだって言いますもんね、あれで。

堀田　百万人が死んで、百万人が祖国を捨てて、アメリカへ渡った。

司馬　ボルドー液がアイルランドをやがて救う。本当の近代というのは、そういうところから始まっているんじゃないか。

堀田　日本へは十六世紀のおしまいになって、オランダの船が持ってきたけど、広く普及したのは明治以後。ジャガイモという呼び方は、「ジャガタラ（インドネシア）渡り」という意味からのようです。

当時のヨーロッパの食生活は、ジャガイモが安定してとれるまで、そのひどさというものは日本と比べて考えられないほど悪かったようですよ。

司馬　そのようですね。だから室町時代、十五世紀ぐらいの日本とヨーロッパでは、圧倒的に日本のほうが生活文化は上ですね。宿屋に泊まっても、一人で寝ます。ヨーロッパの宿屋というのは、ブリューゲルか何かの絵を見ると、二人で寝たり、三人で寝たりしてますですね。

堀田　一つのベッドで何人も何人も寝る。

司馬　女の人と寝てますね。女性にとっては、ひじょうにたいへん。

宮崎　一家にベッドが一つだっていうような具合ですね。

堀田　ですから、プライバシーという考え方が出てきたのは十八世紀の半ば以後じゃないでしょうか。

司馬　そうでしょうね。プライバシーは、構造的になかったでしょうね。

堀田　なかったと思いますよ。それから寒いでしょう。寒いですから、全員が全員、暖炉のある食堂に集まって暮らしていたから、プライバシーもへったくれもありません。一日じゅう、だれかそこでご飯食べてるわけでしょう。そんな状況で物を考えるなんて、とんでもないです(笑)。

司馬　梅棹忠夫さんが二十数年まえに文化人類学者といっしょにヨーロッパ文化人類学調査をしたときに、ヨーロッパ人のプライドをいたく傷つけました。そもそも文化人類学というのは、ヨーロッパ人がアフリカなどでやる学問じゃないかというわけです。

それを大まじめに日本人たちがヨーロッパ人を対象にやりまして、梅棹さんはイタリアを受け持ちました。ローマから歩いて一日行程ぐらいの村で、彼はしばらく定住しました。そのときに、年をとった運搬業者のじいさんから聞いた話がおもしろかったそうです。

自分は最初に親方に奉公したのは十四歳のときで、そのときにローマに荷物を運んでいくについて、「おまえ、ローマに行って恥かかんようにな。ローマはな、ナイフとフォークというもので飯食っているんだ」といわれて木でそれを作って、稽古をさせられたもんだというのです。ということは、梅棹さんが二十年まえに調査したとして、そのおじいさんの五十年まえの話だとして勘定したら、いまからほんの七、八十年前は、ローマの郊外ではナイフとフォークは使われてなかった。

堀田　フランスにフィレンツェからフォークを持ち込んだのは、カトリーヌ・ド・メディシスなんですね。フランス王アンリ二世（一五一九〜五九。イギリスからブローニュ、カレーを奪還。領土拡大を行った）の王妃です。フィレンツェっていうと、ベネチアでは十一世紀ごろ、すでにアラビアからはいってきたという言及があり、十六世紀には一般にフォークを使っていたようですね。

司馬　じゃ、メディチ家の娘が持参金とともにフォークとナイフをもたらしたわけですね。

堀田　それからイタリア料理をもたらした。それでフランス料理というものが、そこで大変わりに変わってしまった。楽器のヴァイオリンとバレー・ダンスもこのメディチ家の娘が持ってきた。

雑食の遺伝

堀田　時代はずっとさかのぼりますが、『定家明月記私抄』を書いていまして、いちばん不思議だったのは、平安時代の彼らの食べている料理の貧しさですね。後鳥羽院が『新古今集』（一二〇五年）をつくって、美をきわめていましたが、それでいて宴会なんか開くでしょう、そのへんからの[5]メニューを見ていると、ヒジキだとか、そんなようなのばっかりでしょう。

あの当時、中国へものすごくたくさん人が渡っていた。通用していたお金は宋銭でしょう。それなのに、なぜ中国料理を入れなかったのか。中国料理だけはいってない。あれは最後まで私は不思議でしたね。

司馬　ちょっと入れた部分があります。中国人は、中国で[6]シイタケができないくせに、日本でしかできないシイタケを干せば、いいダシになるということを知ってた。道元さんが寧波《ニンポー》の港にはいったものの、道元さんだけ入国ビザがうまくいかなくて、船の中に残ってたら、老僧がやってきて、「これ、日本の船と見かけたが、シイタケはあるか」と訊ねた。老僧は禅寺の典座《てんぞ》——台所係でした。禅宗はむろん精進《しょうじん》料理ですから動物性のものはつかえない。

ダシとして、シイタケを輸入してたんですね。ですからシイタケ積んでますよ。シイタケのダシは中国料理から採り入れて、上方料理に早速はいっています。その後、松前貿易で昆布のダシもはいりましたが、これは中国と関係なくて、日本の開発です。

堀田　シイタケはいまでもそうですよ。たとえば私はバルセロナに住んでまして、あした車でパリへ行くというと、中国料理屋の主人が、「あ、そんなら、パリへ行って、シイタケを五〇キロほど買ってきてくれ」と頼まれた。

司馬　いまでもそうですか。

宮崎　五〇キロのシイタケというのはかなりの量ですね。車からはみ出すくらいですね。

堀田　そう。そんなに積めない。

司馬　人間の食い物っておもしろいですね。アイルランド島なんてのは、まわりがもう海草で埋《うず》まってるような島なんです。飢饉のときそれを食べればいいのに、食べない。日本人ならもう喜んでしまう。

日本人はモヤシというものは中国人か朝鮮人の影響で食べるようになった。明らかに明治三十八年の旅順の陥落のときは、日本人はモヤシは食べていたはずなんです。

なぜかというと、ロシア軍の食糧庫の大豆という大豆の袋からモヤシが出た。それでロシア軍は降伏したという説まである。「もうモヤシが出たから大豆はだめだ」と。ところが日本人はこのモヤシこそ食べられる、おいしいと知っていた。つまり、「ロシア人がモヤシを食べることを知っていればもうちょっとステッセルは頑張れた」（笑）。

いま、ロシア人は食糧難なのに、モヤシをまだ依然として食べません。モスクワにキム・レイホ先生という朝鮮系のえらい評論家がいて、モヤシを栽培して売ればどうかと頭ひねってるのです。⑦

その話を一橋大の中村（喜和）先生というロシア学者に申しあげると、「いや、あれはキム・レイホさんに私が教えたんです」（笑）。つまり、モヤシとか二十日大根《はつか》というものを室内で作れば、冬のビタミンはなんとか補給できるということさえまだ知らない地域がロシアにはあるんですね。⑧

堀田　私、北スペインに住んでましたけど、あそこの海岸で寒天《かんてん》のもとになるテングサがいっぱい採れる。それをある漁師がスノコの上で干してるので、「こんなものまで食べるのか」って聞いたんですね。そしたら「いや、われわれは絶対こんなものを食べない。これは日本の商社が買いにくるんだ」（笑）。「じゃ、日本で何にしてるか知ってるか」と言ったらね、「薬にするって聞いた」といってましたよ。

寒天というのは、私が山荘を持ってる茅野《ちの》市がいちばんの生産地でしょう。いまでも作ってるらしいんですけどね。その茅野市の隣の諏訪で花火大会があって、それを見にいったら、露店がいっぱい出てるんです。それが焼きイカ、焼きソバ、フランクフルト、そんなものだけで、夏なのに寒天で作るトコロテンの店なんかない（笑）。

司馬　日本人もあまりトコロテン食わなくなったんじゃないですか。ヨーロッパ人はアワビも食いませんな。

堀田　食べますよ。高級料理ですけど。

司馬　食べますか。そうですか。それならホッとした。

堀田　蒸して食べてます。

司馬　アワビのステーキはうまいけどなあ。

宮崎　アイルランドのアラン諸島にウニがいっぱいいるときいてまして、醬油を持ってったやつがいるんですです。いっしょに行ったんですが、そしたら全然いない。その島の連中にいくらウニの図を描いてもわからないんです。海岸へ行ったら、二、三センチの小さいのがいっぱいいたので「大きいのはどうしたんだ」と聞いたら、「外国人が来てみんな持っていった」。それ日本人じゃないかと話しあったんですが（笑）。

堀田　そうかもしれない。アイスランドでシシャモを獲ってるでしょう。あのシシャモを獲る漁船に乗ってたのはひと昔まえまでは日本の学生のヒッピー諸君。あの作業は、海へ落っこったらもうアウトだ。だから給料が高いんです。それでみんなコペンハーゲンからアイスランドへ飛んで、そこでシシャモを獲りにきたといってました。

司馬　そのシシャモは日本人しか食いませんでしょう。

堀田　そうでしょうね。あんなものは向こうの人は食べないです。

司馬　いやあ、やっぱり日本人は、縄文時代以来、九千年来、ずいぶんいろんなものを食べ物にしてきましたなあ。

メソポタミアみたいに上等な農業地帯が古代にできますと、農産物以外は食べなくなりますけども、日本は縄文時代に食物について刷り込まれた雑食の遺伝文化が、ずいぶんあるんじゃないですかね。

うまさは国力から

堀田　イカですけど、諏訪の花火大会で見てましたら、その焼きイカがみんな手かな足かな、あれが極度に小さい。それはスペイン産なんですよ。

司馬　おそらくそうでしょう。

堀田　スペイン、あるいはモロッコでしょう、そればっかり。スペインの日本に対する輸出量でいちばん大きく占めているのはイカとタコなんですね（笑）。なるほどと思いましたね。

司馬　網走の僻地《へきち》へ行きました。そこでは海に向かって赤い草ができるんです。⑨珊瑚草《さんごそう》と土地では言っていました。秋のある時期にそれが全部真っ赤になるもんですから、それを近在の人が見にくる。それをあてにしてさっきの焼きイカとフランクフルトと、焼きソバと、もうずらっと屋台が並ぶ（笑）。

宮崎　同じテキ屋が全国まわってる（笑）。いまの日本は、世界じゅうからイカとエビを集めて、食いあさってます。食いすぎですね。

司馬　日本の豊かさというのは、いい悪いはべつとして、そんなもんであって、カニなんかでも、マツバガニでもズワイガニでも、以前はほとんど土地の人が旬に食べていたものを全国の料理屋が出す。松茸だって、近畿地方と四国の人、瀬戸内海岸の人だけが食べてた。あれは主婦が今日の料理もなんにもないと思って、一山一銭か二銭の松茸でご飯でもしようかという程度のもんだった。私ら子供のときです。

堀田　私は明らかに覚えてますけど、貧乏なうちの子供がおなかすかして学校から帰ってくるでしょう。「なんか食べ物ないか」っておふくろに言う。そうすると、おふくろがそこらにあったカニのでこっと太いアシを一本ちぎって、「これでも食べとけ」って（笑）、北国ですからね。そういうたぐいの食べ物でした。

司馬　つまりそういうものを、高級料理屋が津々浦々まで、いつでもしょっちゅう出すということになると、品薄になって値段が高くなる。だから高級品になってしまうんですね。こういうバカなことをしてるシステムが豊かさなんであって、それをやっぱり皮肉に思わなきゃいけませんね。そのために流通のロスがずいぶんある。土地の食べ物で満足しなくなったということがあります。

宮崎　全部同じものが出てくることがたいへんなんだと思うんですけど。勤勉に働かなければ無理ですから。

司馬　フカのヒレスープまでたいていのところで出てるから、フカの問題が起こったんですね。

韓国人の青年で、初めて日本に旅行をしたのが腹をたてたそうです。「全部どこへ行ってもおんなじだ」。新潟へ行っても、東京へ行っても、青森に行っても、鹿児島へ行ってもおんなじだ。何がおんなじかわからないんですけど、文化がおんなじだというんです。

堀田　それはインドに行ったときですが、インド人に、私は「七日間ぐらいずっとカレーじゃないか」って言ったんだよね。そういった相手のインド人が日本へ来て、私に向かって、「なんもかんも醤油じゃないか」っていうんだ（笑）。

司馬　それは正しい。

堀田　しかしね、ヨーロッパで暮らしてますとね、あんなに都合のいいソースはない。焼き物でも鍋でもなんにでも使えるんです。

司馬　ひょっとしたら世界一かもしれませんね。私は大阪のうまれで、代々大阪ですけど、濃口醤油でたっぷり食いたいっていう思いがずっとありますな（笑）。家内は薄口の薄味だから。私は芋の煮ころがしは、東京の芋の煮ころがしのほうが好きなんですよ。だけど、関西の薄味で我慢してるんです（笑）。要するに濃い味いうのは、濃口醤油の魅力でしょう。塩辛いものが好きだっていうのじゃなくて、濃口醤油を味わいたいっていうための濃さです。関西は薄口の地帯だから、濃口は、お漬け物にちょっと使うだけだっていう頭がある。

堀田　いまはかなりフランス料理は裏味に醤油を使ってますよ。

宮崎　イギリスにいる知人が、日本の味のすべては、ラーメンにあるといってました。醤油、ダシ、味の素、麺のコシ……。

司馬　中華料理も味の素を使ってるそうですね、名人ほど。

宮崎　ベトナムで大きなビニール袋で味の素を持って歩いてるフィルムを見たことありますけど、なんにでも味の素を入れるってのは、ベトナムとか中国とか日本とか箸を使ってる国じゃないかって思うのですが。

司馬　そういえばそうだな。

堀田　中国とか東南アジアでね、トクホンを貼るのは文化人なんだ。

司馬　ははあ、文化人（笑）。

堀田　トクホン貼って、それで味の素をジャブジャブ使う。

司馬　イカすわけですね。

宮崎　ヨーロッパには味の素は進出しないですね。

司馬　向こうの人は嫌がりますか。

堀田　一時出てきた。テーブルに置いてあったけどね。だけど、そのうち、二年ほどのあいだになんとなくなくなった。

司馬　出る幕ないかもしれないな。考えてみたらヨーロッパ料理ではちょっともつれた味になる。

堀田　味の素はヨーロッパでたいへんな金を使って、レストランに出してもらった。結局なくなっちゃいましたけど。

司馬　じゃ、やはりお箸の国のほうだ。

堀田　ヨーロッパで暮らしてると、ラーメンの、日本で聞いたことのないようなブランド品がきます。四国の宇和島製とかね。

司馬　宇和島ラーメンは、東京側にはこないですね。

宮崎　即席ラーメンを食べつづけるのは、いろんな銘柄を次々に変えるのがコツなんです（笑）。同じものを食べつづけるとすぐ飽きちゃうんです。わがアニメ制作の職場でさんざん食いましたから。あれは戦後の日本の最大の発明の一つですね。

司馬　それは、日本の国力とも多少関係あると思うのです。たとえばハンバーガーみたいなものはアメリカ人が食べるけれども、あれ東南アジアの人が食べてる食品だとしたら、これだけ日本人は親しまないですね。アメリカの国力が背景になって、ナウイことになる。トクホンと同じ（笑）。

だからこのごろ、上海から大阪や東京へ来る中国の人が日本のコメを買って帰るんですね。日本のコメに対して中国人は冷淡でした、「合わない」と言って。いまは、親類縁者にそれを配ったら震えるようにして喜んで、それで日本式に炊いて食べるんだそうですな。

だから、私は食べ物のうまさっていうのは、ひょっとしたら国力との相対関係があるんじゃないかと思うのです。

宮崎　そうですよ。なんであんなバドワイザーの缶ビールのまずいやつをみんな飲むのかといったら、アメリカ人がカッコいいから（笑）。

アメリカのある家庭にランチに呼ばれたのですが、中流階級の上に属している家庭です。

電気釜を食卓のまん中に置いて、スプーンでグシャグシャにかきまわして食べる（笑）。ソニーやトヨタがなければ、こんなことは起こらなかったろうと思いました。おまけに日本食でダイエットするでしょう。

司馬　中国ではずっと以前から薬屋さんで、「日本の薬あります」いううたい文句がある。いわば一流の薬屋さんのしるしで、アリナミンとかなんとかが置いてある。だから日本の薬というのはひじょうにステータスが高いんです。それに日本米がお仲間になってきた。

宮崎　台湾で正露丸というのは日本産がずっと値段が高いそうです。現地工場で作ったのは、人気がなくてだめ。

司馬　あれは日本製でないとだめですか。

宮崎　日本の純国産でなきゃいけない。だから沖縄からいっぱい担ぎ屋さんが正露丸の大ビンを買って帰って、それで小ビンに詰め分けるんです。そうすると値段が台湾産よりずっと高くなるし、そのほうが売れるっていうんです。

司馬　ちょっと違った話柄《わへい》のようですが、江戸時代、砂糖はたいへん貴重なものでしたですね。明治維新で日本が国際社会に入ってから、ジャワや香港などからたいへん安い砂糖が入ってきて、庶民が料理にも使うようになりました。明治初年、牛鍋に砂糖を入れてやがてスキヤキという甘い肉料理ができる。モンゴル人が東京にきて牛肉に砂糖を入れて煮るというと、飛びあがっておどろきますし、ひと口も、かれらは口にいれられない。肉なしでは生きられないこの人々がです。

韓国の焼肉も、砂糖を使います。砂糖についての歴史的事情は、韓国もおなじです。だからスキヤキと同様、焼肉という砂糖を使う韓国の食べ方も近代になってからできたものでしょう。スキヤキがさきか焼肉がさきか、いずれにしても両者のあいだに相互影響があったのでしょう。ついでながら、中国料理で砂糖入りの肉料理というのはききませんね。

だから、料理もその国の固有のものでも本来は他からきたりしている。が、さっきのモヤシにしても、室町時代には食ってなかったのがいまは日本人の食い物になってて、ロシア人にモヤシを作ったらどうかとか言っている。国々の食い物ってのはおもしろいですね。

堀田　私は、スペインの日本食の店で、スペイン人から「こんなものまで食うのか」って言われたことがあった。なんの食べ物だったかな（笑）。

司馬　いやあ、だいたい言われます、さらにいうと、他の国の食い物にとやかく言うなという気分もある（笑）。国際人であるためには、イギリス人だって遠慮してくれなきゃ困りますよ。鯨を食うやつは下等だとか言うのは。

堀田　私はロンドンへサントリーのダルマを持ってったんです。それでホテルの部屋でそれを飲んでて、イギリス人の友達が来て、「お前も一杯飲め」と言ったときに、そのダルマをじーっと見て、「なにもウイスキーまで作らんでいいじゃねえか」っていうんです（笑）。

司馬　同感したくなるなあ（笑）。

堀田　「おれたちはね、日本の酒作ってないよ」って言う。

司馬　これは基本的にあります。基本的にこれを言われるとね、恥ずかしいような……。

堀田　「スコッチ飲んでくれたらいいじゃないか」っていうのがサッチャーです。
司馬　チャーチルに言わせると、自分の父親なんかは、ウイスキーのような下品なものは、まあ、焼酎みたいなもんですから、飲んでなかったっていうんです。ブランディーとかそういうフランスのものを飲んでた。
　だからウイスキーは、第二次大戦のあとイギリスが、経済復興の第一手段としてウイスキーを売りに売った。われわれはそれに毒されて、ウイスキーは世界のいい酒だと思い込んでるわけです。
堀田　あのダルマにはまいった。こんなものまで作らんでもいいんではないかと言われてしまったのには。
司馬　イランにまだ王《シャー》がいたころの話ですけども、だれか日本の偉い人がイランの貴族に招待された。「たいていのウイスキーは持ってるんですが、いちばんかの有名なサントリーのダルマがないんですけども」と言ったといいます。
堀田　それから、私がスペインにいるころですが、酒屋へ行ったらダルマがピラミッドになって積み上げてあった。それで値段を見たら、五百ペセタなんです。大体七百円。日本で一本三千円ぐらいするでしょう。五百ペセタでどっと山積みしてみたんだけども、六カ月ぐらいしたらもうなかった。味の素とおんなじです。
宮崎　そういうことはやらないほうがいいですね。
司馬　やらないほうがいいです。

宮崎　食えるんだから。

堀田　三千円のものを輸送料かけて七百円で出してドドーッと積んで、制覇しようとしたわけです。集中豪雨。

日本の人はグルメ、グルメと言いますけど、フランスの中産階級以下の人に、グルメと言ったら、なんのことだときき返します。

司馬　食通という意味なら、日本の江戸時代の職人がグルメです。どこそこの河岸の裏でやっている小さな鮨屋がうまいという、食通情報にたけたのが職人仲間に一人か二人いて、そいつの言うことを聞いて、じゃ、今度の休みのときに俺、行くとなる。日当は次の日も親方がくれますから、宵越しの金を持たなくてもいい。だから、もらったままの金を持って鮨屋へ行きます。

私は子供のときから大阪育ちですが、東京うまれの[10]小島政二郎さんの随筆を読むことが好きだったのです。でも異様な感じもしていました。食い物の話をすることは卑しいことじゃないか、と私は思っていた。

ところが、小島さんが書いていることを読んだら、これは江戸文化と関係があるとわかった。大工、左官の世界で食通というものがあって、日本橋の旦那はそんなことをやっていたら店がつぶれますから、同じ江戸っ子でもそんなことはしない。だけれども、本所、深川にいる連中が食通であることを楽しんだ。その流れを小島さんは引き継いだんだろうと思いました。

8　地球人への処方箋

家

宮崎　ふと見かけたいい家を訪ねていく、という仕事をある雑誌で始めているんですが、いい家というのは、家と人と庭が——植物ですが、いっしょに年とっていく家ですね。家のつくりがいいとか、材料がいいとかいうのは、それは何年かたつと関係なくなります。

震災直後に建てたちょっとハイカラなぼろ家でも、そこに住んでいる人が、その家と庭をだいじにしているといった家に出会うと、私はもうとても幸せな気持ちになるんです。家と人間とがいっしょに年とっていくのを見ると、日本は捨てたものではないと思うんです。

ですから、日本の家というのを考えるときに、自然と時間とのかかわり合いなんだと思うしかないのです。でもいまの家というのは、時間の経過を拒否する建物ですから、どこかで音をたてて変わりはじめているという感じがします。

堀田　私は、相続税は文化を破壊する、と書いたことがあります。文化というのは、礼儀作法に見られるように、元来、家つきのものですよ。庭がどんなに小さくても、その庭によってある美意識が養われるならば、これは文化の道なんです。その庭を四分して売らなきゃ相続税が払えない。これは、完全に文化の破壊です。自民党の連中にそう言ってみてもぜんんわからない。

　土地問題でいいますと、フランスは公有地がものすごく多いでしょう。シャンゼリゼなんかもすべて公有地ですね。日本でいえば、銀座の土地がすべて公有地になってるということです。僕はあるフランス人に、どうしてこう公有地が多いんだときいたんです。そうしたら、一言ではねつけられちゃった。「レボリューション・フランセーズ」。その一言なんです。

司馬　王さまの土地すべてを、レボリューションの後、政府が引き継いだ。だから、公有地が多いということですね。

堀田　それと貴族と修道院が持っていた土地が多かった。

司馬　修道院もそうですか。日本の場合は、徳川家の財産を引き継いだところだけが国有地です。たとえば東京・築地のがんセンターは徳川家の海軍練習所の跡。東京大学は、徳川家のものではないけど、加賀屋敷を買い上げたものだし、上野公園のきれいな緑地はすべて寛永寺の、つまり徳川家の地所でした。

堀田　朝日新聞社は海軍経理学校の場所だった。

司馬　そのまえは幕府の、つまり海軍用地だった。だから、幕府から継いだものを国有地にしただけであって、あとはあいまいなんです。

宮崎　ささやかな幕府だったんですね。

司馬　ささやかでした。徳川幕府というのは、東海道をすべて幕府のペーブメント（舗装道路）にするほどの権力も気持ちもたなかった。つまり、それをするためにはすごい労働力が必要で、秦の始皇帝のような権力が要ります。中国史では大土木工事をおこした王朝は、つぶれます。秦の始皇帝の万里の長城、隋《ずい》の煬帝《ようだい》の大運河。徳川幕府は姫路城や名古屋城を天下普請としてやりましたが、それも諸大名に分担させて、みずから労働力をあつめたわけではありませんでした。要するに中国皇帝のような権力はもちたくない、大名同盟の中の代表者であればよい、それが将軍でした。その程度で我慢してきた権力です。

だから、幕府所有地というのは少ない。したがって、明治政府の政府所有地も少ない。

堀田　フランスはドゴール空港ができるときだって数人の地主の土地だけですんだ。それに、フランス革命から二百年たってるでしょう。ですから、シャンゼリゼ付近の地代なんて安いものです。しかも、二百年たてば、それだけの富の積み上げができちゃって、建物がペイできてるんですね。

共同通信の社長さんをパリの丘の上へ案内したことがあるんです。パリの街全体を見わたして、「これはみんな減価償却ずみだな」と言うんです。

司馬　まったくそうです。日本で減価償却ずみになったのをいまでも使っている建物というのは、東京でも少ないでしょう。学士会館といくつかあるぐらいじゃないかしら。

宮崎　バブル時代に、狂ったように再投資していますから、これでまたさらに償却不能になっちゃう。

司馬　そうですね。

弥生文明で消えた照葉樹

宮崎　イタリアへ行ったときに、ローマの近郊の村を見てまわってたのですけど、貴族の館に行ったら木があるんですが、周りの山の木もみなとにかくオリーブと葡萄とナッツの木だけ。それは人間の食べ物を採る木だけしかない。むだなほかの緑はない。

でも日本も似たようなことをいまやっているなというふうに思うんです。風土を変えてしまうと、精神的に深いところで受け継がれていくべき、たとえば兵士がいざとなって突撃するときに、「南無阿弥陀仏」と言うようなことまで切れてしまうんじゃないか、その瀬戸際にいま、さしかかっているんじゃないかなという感じがあるんですが。

司馬　そうです。一カ村に一つゴルフ場ができかねない勢いというのは、やっぱり風土と生態系と人情を変えますね。

堀田　私がフランスにいたとき、日本のある社長さんと田舎をドライブしたことがありますが、一面葡萄畑なのを眺めてその社長さん曰く「フランス人はバカだ、葡萄なんかつくらんでゴルフ場にすれば儲かるのに」と。

宮崎　困った感覚になってきている。経済大国でなくなるのはけっこう早くくるんじゃないかと思っているんです。だめになる時期が。

司馬　私もそう思います。

宮崎　そのときに風土が残っていれば、また畑を耕し、田んぼを耕して、おいしいおソバを食べられたら幸せだというふうな生活に戻れるかもしれないけども、これだけ壊してしまって、ゴルフ場だらけにしては……。

司馬　もう戻るところないですね。ゴルフ場をつくるそのまえに、すでに山林を換金性の高い杉、檜《ひのき》ばかりに単品に近い形で植林したことも風土を変えました。

堀田　広葉樹林をみんな切ってしまった。

北スペインにいたとき、ユウカリの林の中の村に住んでいましたけど、あんなのは木じゃない。一種の草だ。

司馬　日本は広葉樹や松山を切りました。だからわれわれは、弥生式のころから引き継いでいる大地への神聖観というのをどうも失いつつある。弥生式のころから近江《おうみ》に三上山《みかみやま》というきれいなおにぎり三角形をしている山があります。別名で近江富士と呼ぶものの砂を盛り上げた程度の高さですが。それは神聖山でした。神名備山《かんなびやま》と呼ぶ神聖な山というのは、何かちょっと条件があるらしいんです。きれいな格好した小山で、なるべく大地に他の山と孤立してある感じの山を、弥生のころからわれわれの先祖は神体山にして拝んできました。

よく考えてみたら、それは落ち葉を人々が拾って作物の堆肥にしているから、神さまの施しがあるのですね。京都の双ヶ岡《ならびがおか》という、兼好法師が住んでいたのも神体山に近いものでした。やっぱりきれいな赤松の疎林が生えています。赤松というのは、間隔があって、明るい感じがしますでしょう。

宮崎　雰囲気が明るいですね。

司馬　①四手井《しでい》（綱英《つなひで》）先生という京都大学の先生が予言しまして、弥生式のころに農民が山にはいっては落ち葉を拾って堆肥をとったりいろいろしているから、山はいつも座敷みたいにきれいになっている。そのかわりに照葉樹が滅んだと。照葉樹は貪婪《どんらん》に養分を吸いますから、腐葉土があることを欲するのですけど、山の表土が真っさらなお座敷になっているものですから、照葉樹が育たなくなった。赤松だけが痩せ地を好むから、東山は赤松、双ヶ岡も赤松。

　ところが、このごろ東山もむくむくとした楠《くすのき》とか椎《しい》とかが生えはじめた。あれは松の山に人がはいらなくなったからでしょう。プロパンガスでもって燃料ができるし、農家も化学肥料でやりますものですから、堆肥をつくらなくなって人が山にはいらなくなった。

　戦後、山にはいらなくなったら、弥生式以前の景色に戻ってきた。照葉樹、文字は照り輝く葉と書きますけど、あの森は鬱然たる暗さがあります。つまり、グルーミーな景色をつくるわけです。弥生式以前はそうだったそうですな。

　弥生式以前の景色だと、私らの記憶はだめです。弥生式のころからいままで継承しているもの——、たとえば谷間に行ったら、何か神聖な感じがして息を詰めてよく見たら祠《ほこら》がある。祠が神聖なのじゃなくて、その場所が神聖だからだれかが祠をつくったのです。そういう自然に対する脅えというのを私らはまだどこかにもっていますし、いまの若い人でもあると思うのですけど、それはやがて滅びていくでしょう。弥生人はそういう脅えの中で暮らしていたのではないでしょうか。

縄文の人も脅えがあったでしょうけども、縄文の人は観念的に言うと、天地を動かそうとするところがありました。火焔土器を見ても、祈りで天地を動かそうとしていた気配がありますね。だから岡本太郎さんが大好きなんですよ。自分が天地を動かしているから。だけど、私らは千利休みたいに、天地にくるまって生きていることを美意識にしてきました。だから、どうも弥生式の文化の子孫であることは確かのようです。

堀田　ヨーロッパ人は根源的に〝森の人〟[②]でした。森という海の中にいて、少しずつ切り拓いて小さな集落をつくる。しかし森は暗くて怖い。集落以外の人が来るのも怖い。かれらの個人主義は、根源的には怖さからきている。

木を切って滅びた文明

宮崎　アイルランドのアラン諸島は、岩盤がむき出しになっているでしょう。岩が初めから表面に出ていたのかどうかで友人ともめました。地元の人にきいたのですが、わからない。

私は、最初は薄い土ながら草が生えて、木もちょっとあったんだと思うのです。でもジャガイモを作っているうちに表土が流れちゃった。初めから岩の土地にケルト人が来て、住みつけるはずないですもの。

ですから、人間がああいうふうに岩だらけにしたんだと思うのです。ただ、論争の相手は、石垣で囲って海草のこやしをやっているうちに、やがてそこに土ができるんだと言うんです。土ができるという考えかたが、じつに日本ふうだと私は思いました。風土に恵まれすぎた者の考えかただと思うのです。

司馬　むずかしい問題だ。

堀田　風は激しいしね。

司馬　ヨーロッパ全土の土壌は五〇センチだと言いますね。あとは岩盤です。日本はどこを掘ってもずっと土です。日本の場合は五〇センチしかない土地というのは一部だけだと思います。

韓国は、洛東江《ナクトン》が釜山付近に注ぎ込む領域を除いたらだいたい五〇センチでしょうな。だから、韓国は相当岩だらけになる危険がある。それに気づきはじめている。

堀田　パリは八メートル掘ったら岩盤です。ただ八メートル掘るとえらいことになる。ローマ時代の遺跡がわやわや出てくる。ですから、ノートルダムの前に広場があって、その下が駐車場になっているでしょう。あの駐車場にはいって出てきたら、いざ自分の車をとりに戻ったときどこにあるのかわからない。ローマ時代の遺跡で迷路のようになっている。

宮崎　フランスの真ん中あたりは豊かなんですね。

堀田　豊かですよ。イル・ド・フランス[3]と称されるパリを含む地方は、ヨーロッパでも随一に豊かなところです。

司馬　フランスはじつにめぐまれていますね。農業国であると同時に森林が多かったから、冶金が興って、木炭を使って金属を溶かしても豊かな森は耐えられたんでしょう。また次を植えたんでしょうけど。

　スペインの没落というのは、スペイン人が砲台をつくってアジアに拠点をもっていって展開してますでしょう。あれは木炭で冶金しますから木がなくなってスペインは真っ裸になった。

　フランス人が木材を売ってくれないとか、いろいろほかにも理由がありましたが。おまけに十六世紀後半、アルマダ（無敵艦隊）をつくったからさらに森林破壊をしました。大国スペインはドン・キホーテのさ迷いこんだ深い森を失ったことによって滅びたと思う。

堀田　それと同時に羊国家だったでしょう。羊がみんな食べつくした。羊というのは草を根だやしに食べてしまう。次に生えてこない。草の食べ方では馬がいちばん上品らしい。あの昼では根っこまでは食べられない。

司馬　羊は、食べるわ蹄で土を固めるわ、どうしようもない。ギリシア文明を終わらせたのは、人口がふえて、羊をふやしたこと、その羊が土壌をダメにしたからだといいますね。

堀田　羊を飼っていた人たちは特権がありました。放牧しなければならないから遠いところまで行く。そのためには町であろうが村であろうが、どこでも突破して行けたんです。

宮崎　めちゃめちゃですね。畑の農作物でも平気で食べる。

司馬　それを防ぐために相当苦労はしているのです。山羊《やぎ》を一匹入れたりして。山羊はろくでもないんですけれども、羊のように最後まで食べちゃうのではなく、あちこちうろうろしますから、羊をほかへ移すためにいる。これはモンゴルでもそうです。山羊の効用はうろうろさせることです。

堀田　山羊の首についている鐘はでかいやつだ。でかい音をさせて、山羊がリーダーになって羊をあっちこっちへと連れていく。

司馬　山羊はばかみたいだけど、そういう効用はある。

宮崎　イタリアの人たちは、あの禿《はげ》山を見て、心はなんにも痛まないでしょうか。ずっと昔からこうだと思っている？

司馬　近代が興ることによって、つまり、青銅で教会の鐘などをつくる。製鉄が本格的に始まるのは十八世紀ぐらいで、それでヨーロッパの木は手近のところは裸になってしまった。

堀田　スペインに住んでいてあの裸の岩山に慣れてくるととってもよくなって、それで日本に帰ってくるでしょう、緑ばっかりで、逆に私は息苦しくなってくる。

司馬　ヨーロッパ人もアンビバレントなところがあって、緑が栄えているところはグルーミーだと思っている。グルーミーの語源が、木があんまり多くて、日を遮っているという意味でしょう。ですから憂鬱ということになる。

宮崎　中国文明は、漢代に木を切りつくして、それで文明のピーク終わったんじゃないんでしょうか。

司馬　そうです。そこからずーっと下り坂ですね。

中国の場合は、華北④は漢（前漢BC二〇二〜AD八、後漢二五〜二二〇）の時代のある時期まで大森林だったという説があるんです。あの殷（?〜BC一一〇〇年ごろ）のすばらしい青銅器。その後、鋤《すき》、鍬《くわ》、刀剣がさかんに鋳られました。むろん銅です。だから、すごい量の銅⑤を溶かさなきゃいけない。そのために木を切った。さらに漢の武帝の時代には製鉄がすさまじい勢いで興りました。そのために大量の森林がうしなわれました。それで華北には森がなくなった。

森はなくなったけれども、モンゴルから運ばれてくる黄砂が黄土になる。一ミリぐらいの立方体の中にちょっと水分がはいっているのだそうですね。あれ、不思議な砂なんですって。そのために雨が降らなくても畑作ができるんです。だから、彼らは平気で森林を破壊したとも言えるわけです。

いま、北京付近まで砂漠⑥になりつつあります。砂が乾いて、フライパンで炒《い》っているメリケン粉みたいにカラカラに乾いてきた。だから、水をやってもやってもだめ。北京は近郊農村の蔬菜供給が足りなくて、野菜不足です。それは砂漠化したから。モンゴル地帯を耕してしまったからです。あそこの土壌は一五センチぐらいしかない。あとは岩です。そんな土壌を耕したら、草原は復活しないわ、岩だらけになるわ……。フライパンで炒ったように乾いた土地ができてモンゴル地帯から北京郊外までずっときている。
堀田　風が吹くと、その表面の乾いた土壌は、すっ飛んでいってしまう。だからやっぱり木を切ったら文明は滅びますな。
司馬　だから、中国人もたいへん偉大な愚行をしたといえます。
宮崎　テレビの『長城』という万里の長城の番組を観たんですけど、残念ながら、だれがどうやって土を積んで、どれほどの労力が必要だったのかというそういう視点がなかった。
　最後に漢代につくられた長城にたどりつくんですね。そのつくり方は土の間に葦《よし》がはさんであるんです。その葦をどっから持ってきたんだろう、その葦を切ったから緑がなくなったんだろうと思って観てました。初めから砂漠だったら長城なんかつくらないでしょう。長城の中は少しは緑があったんじゃないかなと思うのですが。
司馬　緑はあったと思いますね。もうあのへんになってくると日干しレンガなので、木を燃やしはしないんですが。太陽の熱で焼いている。
宮崎　要するに版築《はんちく》という方法。
司馬　そう。版築は固くなります。ベッタベッタとやってれば固くなるでしょう。それをぽんと干しておけば固いレンガができます。
宮崎　漢代の長城は、土と葦とで層になってるんです。その先は消えてなくなっている。だからそういう技巧はあったんだけど、葦そのものがなくなった。
司馬　どうも中国農民というのは、どっかで「阿Q」です。長城は文化財だと知っているのですが、僻地へ行きますと薪にする木がないから、長城のレンガの中にワラがはいっているのを抜いてその枯草を燃やしたりする。それは国家のものだとか、人類の宝なんだということはあんまり思わないんですね。

宮崎　あの映像を観てて、ここに木を植えたら生えるのになと思うのだけど、なんにも植えてないんですね。

司馬　なんにも植えてない。

宮崎　植えれば生えますよ。横に大河が流れてるんですから。そういう考え方というのは変わらないでしょうか。木を植えたら変わるぞっていう考えはもたないのでしょうか。たとえば韓国は必死にやってますよね。

司馬　韓国は、朴正熙《パク・チョンヒ》のときからやりはじめたらしいですね。けっこう生えてます。五〇センチ下は岩ですから、木がないとすぐ土壌が流出してしまう。

宮崎　いまの盧泰愚《ノ・テウ》も一生懸命やってるみたいです。

司馬　私の空想では、日本で製鉄が国産で始まるのが四世紀から四世紀半ごろなんですが、そこからひじょうに好奇心の強い、鉄でいろいろものを作るという民族性が起こったのだと思うのです。

けれども、それまでは韓国に買いに行ってました。これ鉄鋌《てっえん》といって、短冊型の鉄を買いに行くんです。そのぐらいの程度ではとても間に合わないですから、たいていは木の鍬で耕していました。韓国から鉄を買うにしても、韓国の側も木を取りつくした。ひと山木を切りつくしても鉄は何トンしかできない。

　韓国は、表土が浅いために復元力がありませんから、そのまんま岩山になった。それで製鉄の技術者たちが船に乗って梯団《ていだん》⑦を組んで出雲に来たんじゃないかと思います。

宮崎　岩山になったことをすべて秀吉のせいにしてますけど。

司馬　秀吉のせいになってる。私は韓国の現場でそのことを言ったら、説明してる人がきょとんとするのです。秀吉はこんなところまで木を切りにくることないんだと言ったのですが。

宮崎　秀吉のせいにしておいちゃだめですね。

司馬　だめです。あそこは事実よりも、ちょっと非事実をまぜることが好きなようですね。

堀田　それで「恨《ハン》五千年」なんていう歌をうたってる。

司馬　漢の楽浪郡⑧もなかった、玄菟郡《げんと》⑨もなかったということになっている。

宮崎　楽浪郡もなくなってるんですか。

司馬　なくなった。これは南も北も同じ考えですよ。むろん良識ある学者はべつですが。

宮崎　北朝鮮の労働党と日本の共産党との関係がおかしくなったときに、任那《みまな》日本府がなかったともめたという話と同じなんですね（笑）。

司馬　任那日本府というのがあったかどうかは別として、何か倭《わ》の根拠地があったとしなければ、韓国古代が読みとりにくいのですけれどもね。

　さっきの鉄の話でも、中国の、朝鮮のことが書いてある『魏志東夷伝』に、鉄ができて「倭もこれを取る」と出てくる。だから倭がそこに来て取っていたことは確かで、あの倭は朝鮮に地つきの倭なのか。倭であることは間違いないのですけど、グループがあったと考えるほうが自然ですね。だからそのうちどれかが任那日本府だったかもしれませんけどね。もっとも〝日本〟という国号はまだ存在していなかったのですが。

オランダに学べ

堀田 一九九〇年の六月ごろ、北京で、国連主催の発展途上国が考える環境問題の大きな会議があったんです。リオ・デ・ジャネイロの環境世界会議の一つ手前ですね。
その最後に出た声明書は、これはものすごいものですよ。「先進国に対する妥当なる脅迫」です。私はそれ「妥当なる脅迫」という表現しますけど。
宮崎 いい言葉ですね、妥当なる脅迫。
堀田 一つは、これまでの公害問題について先進国は責任を負え。もう一つは、われわれも工業を発展させせなければならないから、その邪魔をするなというわけ。
司馬 地球汚染という点では、先進国とそれ以外の国とはギャップがある。これは大問題ですね。
堀田 そうなんですよ。社会主義国もその点まったく無神経だった。

司馬　だからいま中国は火力発電所その他で、ほとんど公害についての防御をしてないで垂れ流しているようで、いちばん公害国だといわれています。日本に吹いてくる風、あるいは朝鮮半島を横切っていく風は、どうも中国の公害の風だとよく言われてますけども、必ずしも中国はそのことに関して、責任ある発言をしてないのです。

世界で、いちばん公害問題で地球規模で心を痛めてるのは、オランダでしょう。真の意味での先進国だと思います。つまり二酸化炭素が増えれば地球があったかくなって、北極の氷などが融けて海面の水位が上がればオランダは水没して国がなくなります。

オランダはゼロメートルのところが総面積の四分の一以上ありますでしょう。ですから、先祖代々、紀元前一世紀のシーザーによるローマ軍の侵入のころから営々としてダムをつくり、海面を干拓《かんたく》し、やっとここまできたのに、二酸化炭素の増加で地球が温暖化すれば、水面下の国になる。それはかなわないので自動車の排気ガスを世界的になんとか規制しましょう、と言っている。でも日本もアメリカもいい返事をしない。

だから、オランダの提言が新しい文明の主題になるときが数年後にくると思うんです、抑制こそ文明だという時代が。

堀田　環境関係の会議は、たいていはオランダで開かれます。ハーグか、アムステルダム、ライデン。しかもしょっちゅうやっています。国際的な人を集めて、あの人たちは必死ですね。

司馬　必死です。いま私たちはオランダ人に学ぶことは二つあります。

一つは土地問題です。オランダの土地はほとんど国有地で、その上に産業が乗っかっている。地代を国に払っているだけです。たとえばアムステルダムで最近できた日本人学校は、国から敷地を借りました。日本の小学校と同じ規模の校庭があって、地代は年に一ギルダー、七〇円ほどです。

二つめは多民族国家になってしまったことです。戦後、植民地解放でインドネシア人がはいってきました。何人かに一人がカラードです。オランダの小学校教育の、かれらを差別するなという徹底ぶり。オランダ憲法下にいて、オランダ国籍のある人は、同じオランダ人、一ミリの違いもないオランダ人だ、と。なぜかというと、差別することによって後で反乱を起こされたら、オランダそのものが消える。

人間はみなものを考える力をもっているのに、政治に生かすことができない国が多いですね。それがオランダはうまくいった。だから、オランダというのを学び直すという時代がきています。

堀田　ヨーロッパの上は北極で、下は灼熱のサハラ砂漠ですから、下が暴れても上が暴れても、必ず飢饉になる。だから、ヨーロッパにはいまでも食糧危機があるかもしれないという意識があります。ソビエトまたしかり。これから日本は自国一国ではなしに、地球全体のことを考えていかないとやっていけなくなってる。

話は元に戻りますが、公害といえば私はすぐ思い出すのは、チェコスロバキアのスコダという町。あそこの町の名前の機関銃があったでしょう。

宮崎　会社の名前がありますね。

堀田　それから靴もあったと思うんですね。そこのスコダという町に一九六八年に私はちょっと寄ったんですけど、ここは煤煙がひどくてほんとに目を開けていられない。

宮崎　それは何をつくってるんでしょう。

堀田　石炭を燃やして、製鉄してるんじゃないでしょうか。

宮崎　石炭の質が悪いんだと思います。

堀田　泥炭に近いものじゃないかね。

宮崎　褐炭というやつじゃないでしょうか。

堀田　それでプラハに帰って作家同盟の偉い人に、「お前んとこはひどいことやってるな。こんなんでは、文学どころの騒ぎじゃないじゃないか。社会主義こそ、公害防止にもっとも有効なはずじゃなかったのか」と言ったほどです（笑）。それほどひどい町でした。

司馬　イギリスだって産業革命のあと煤煙の問題がすごかった。それは解決したんじゃなくて石油にエネルギーが替わってるだけなんですけどね。

宮崎　日本が自国の木を切るのをやめて、木材の輸入に切り替えたことでボルネオを禿坊主にしちゃったように、イギリスは植民地から材木を持ってきたのを、石油に切り替えたんじゃないかと思います。

堀田　昔の自然破壊のことでいえば、あのベネチアというのは、材木の杭を海の洲の中へ叩き込んで打って、その杭の上にできてる街でしょう、その杭にするのに十五億本とかの木をレバノンやいまの旧ユーゴスラヴィア、ギリシアなどから運んできた。

宮崎　杉ですね。

堀田　レバノンからユーゴスラヴィア、あのへん一帯の木を全部持ってきた。あのへん全部裸にした。

レバノン杉というのを見たくてレバノンへ行きました。国旗の中にもはいってるでしょう。大きな木を見るのが私好きですから行ったんですけど、レバノン杉というのはなんとベイルートから山を越えてダマスカスへ入るまでの間に三本しか見なかった。

司馬　じゃ、あと植えなかったんですね。

堀田　そうでしょう。だからあれレバノン杉というものが国旗になってるのは、貴重だからであって、国の象徴じゃないんですよ。

司馬　そちらも相当なことやったなあ（笑）。

人類はずいぶんいろいろの経験してきましたから、その全部の経験データを積み上げて、みんなで会議しなきゃいけませんな（笑）。

二〇〇一年一月一日への世界会議

堀田　四、五年まえにドイツに行ったときに、いっしょに連れていった娘に「スコッチウイスキー一本と水買ってこい」といったんです。そうしましたら、スコッチウイスキーと水二本を裸のまま抱えてえらい苦労して持ってホテルの部屋まで上がってくるんです。「どうしたんだ」って聞いたら、「袋くれなかった」って言うんです。ビニールの袋やめたんですね。

宮崎　公害防止の運動ですね。

堀田　やめるのはいいことなんだけど、ドイツはひとたびやめるとなったら、バチャーッと徹底してやめちゃうんです（笑）。ドイツの国らしい。

宮崎　すごいですよね。ものすごい勢いでエコロジーのほうに向かってます。実際、酸性雨がいっぱい降ってますからリアリティーも激しいんだと思うんですけども。

堀田　もう一つ、レストランにはいったんですが、蠅が五、六匹ウワッといる。「これどうしたんだ」と言ったら、「いやもうスプレーはやめた。このぐらいいたっていいじゃないか」って言う（笑）。

司馬　ドイツ人は、細菌が病気をつくるということの発見以前から清潔にしていて、熱湯で消毒してた人たちですから。アメリカ人が衛生好きだっていうのはドイツ移民のせいだといわれてますね。とにかくきれいにする。ビニールがいけないとなれば、それからなにもいけないと、すごく傾斜していきますな。

　とにかく日本人は、他民族は汚いと思っている。こんなに清潔好きな民族はドイツ人以外いない。これが基準としておかしいわけで、かといって、日本人に不潔になれとはいわない。だけど、差別のもとになっています。世界のおそらく八〇パーセントは汚いです。

宮崎　私が行った国々は、決してきれいではなかった。はるかに雑です。

司馬　ドイツといえば、ロシア人がそのロシアの囲いの中にいてくれと願っている。ヨーロッパ諸国のなかでもとくにドイツでしょう。難民の人々の流入が怖くてしょうがない。

宮崎　ドイツは、もともと東方の遊牧民がヨーロッパの中原《ちゅうげん》めざしてなだれ込んでくるという恐怖をもっていますね。

司馬　すごいイメージでしょうね。人津波がくるような。

宮崎　日本は周りに海がありますけど、それでも日本にも来ますね。

　私は『大黄河』というNHKの番組を観て思ったのですが、黄河の河口の渤海《ぼっかい》と交わるところに巨大な砂州ができているでしょう、あそこらのへんの、干拓事業を日本のお金でやるべきじゃないか。百年の契約を結んで……。百年後は、収穫物のいくばくかを日本がもらうという契約にして。そうでもしなければ、怒濤のごとく難民が日本海を渡ってきますよ。

司馬　えらく渡ってきますよ。

宮崎　中国[10]の人口は十四億といわれていたでしょう。十四億と政府が発表してから十一億六千万だと訂正したけど、嘘くさいですよ。

　中西悟堂さんという野鳥の会をつくったかたが晩年におっしゃってたんですけど、「人間が一千万増えたので鳥が一千万減った。鳥を増やすには人間を減らすしかない」。これは公にはなりませんでしたけど、「交通事故を防いではいけない」と言ってました（笑）。

司馬　人間一人が存在してるだけで、魚類、哺乳類など、どれだけの生物が奉仕してるかを計算で出してもらえるとわかりやすいですね。

　ＮＨＫスペシャルの『カムチャッカ』というのを観たんですが、そのなかで、うらぶれた博物館の女の館長さんが、「微生物一つでも減ると地球の問題なんだ」と、こんな大田舎のおばちゃんがいってる。これはえらい時代ですね。

　むろんカムチャッカはほとんど土地利用のできないような寒いところで、北海道はその近くではいちばん南国です。北海道の獣医さんがしゃべっておられるんですけども、二十年まえ自分たちは野鳥を見たし、海の鳥も見たし、魚もたくさんいた。カムチャッカにはたくさんいるけど、もう北海道にはいなくなったと言ってました。漁業問題も含め、あらゆる問題を含めて、やっぱり世界会議が必要ですね。

　僕らは「名こそ惜しけれ」というので生きているつもりですけれども、しかし、魯迅の『阿Ｑ正伝』の阿Ｑであることを忘れると、具合が悪い。日本国は守らなければいけませんから、鎌倉武士の「名こそ惜しけれ」でやるわけですけれども、しかし、同時に地球の阿Ｑ

だと思わないといけない。

モンゴル高原の草原に行くと、やはりいまの地球は間違っているんじゃないかと思います。草だけをエネルギー源にしている。石油じゃなくて。牛や馬に草を食わせて、それのお余りをいただいている。完全な生産形態と消費形態とがある。草原での燃料は牛の糞の乾いたやつをつかう。あれは青色が出て、いい火力です。野蛮じゃない。秩序ある体系的な大文明です。

ともかくいざとなったら、私どもはそこへ戻れるんだと思うと気が楽になる。私にとって、モンゴル高原のことを考えるのは若いころからの娯楽なんですけど、この秘《ひそ》かなる娯楽があるおかげで世の行く末ということを考えても、あまり憂鬱にならずにすむんです（笑）。

堀田　それはいい（笑）。それが文明ですよ。

二〇〇一年で二十一世紀がくるわけでしょう。司馬さんも言われましたように、それまで十年を切ってしまったこの間に、人殺し騒ぎをやってる連中を全部やめさせ、自然破壊をやめさせる、そういう世界会議が必要です。

司馬　必要です。

「時代の風音」——註

1　二十世紀とは

①イワン雷帝

イワン四世。一五三〇～八四。十六世紀に初めてロシアを統一。三歳で即位し、死ぬまでの五十一年間、皇帝の地位にあった。ロシア史上もっとも強力かつ個性的な君主。最初の后は一五四七年に結婚したアナスタシア妃。

②キプチャク汗国

モンゴル帝国の四汗国の一つで、ジンギスカンの孫・バトゥが南ロシアのキプチャク草原に建国。領土はクリミアにおよんだ。イスラム教を採用。支配下のモスクワ公イワン三世の独立（一四八〇年。初めてツァーの称号を用いた）により、統一を失う。一二四三～一五〇三。

③タタールの軛《くびき》

キプチャク汗国による、中世ロシア諸公国の間接支配のこと。十三世紀前半モンゴル軍がロシアを侵略したときから、モスクワの都に迫ったものの断念して兵を引き揚げた一四八〇年までの約二百五十年間を、後世のロシア人が形容した言葉。タタールとは、東モンゴルにいたモンゴル部族の名で、中国（宋時代）では韃靼《だったん》と呼ばれた。

④モンゴル経由

モンゴル人は、すでにイラン、中国などの文化的な先進国地帯を直接統治していたため、ペルシア、アラブ、トルコなどの東方文化をロシアへもたらした。国庫、契約、市場、利益などの経済用語から、外套《がいとう》、半ブーツ、防寒ずきんなど生活用品もロシア語にはいった。

⑤北イタリア

一九九二年四月の総選挙でイタリア第四党にのしあがった「北部同盟」のボッシー党首は、北部各都市を遊説、「政治腐敗とマフィアに汚染されたローマのために税金を払うのはやめよう」と訴え、聴衆の拍手喝采を浴びている。この背景には「働き者の北部の人間が稼いだ金を、ローマなど中部や南部の人間が無駄遣いする」といわれる社会風土があるから。

⑥ローマ劫掠《ごうりやく》

ドイツ人、ポーランド人の傭兵が飢えた集団となって、一五二六年十一月アルプスを越え、これに当時ミラノを支配していた神聖ローマ帝国軍のブルボン公が合流。二万二千人におよぶ暴徒となって、各地で略奪を重ねながら、翌年五月にローマ城壁内に侵入した。教皇クレメンス七世は、サンタンジェロ城に避難し、ローマ全市は暴徒の略奪、暴行殺人、破壊がほしいままに行われ、市内の文化財は破壊しつくされ、ローマにおけるルネッサンス運動は終焉したとされる。これを契機として、フィレンツェではメディチ家を追放して、共和制が一時復活した。

⑦モンテ・カッシーノ

ローマとナポリの中間にある山。ヨーロッパ修道院の原像ともいうべき修道院が六世紀前半に建てられ、イタリア政府が国家記念物に指定していたが、第二次大戦中の一九四四年、連合軍の爆撃でほとんど壊滅。だがみごとに再建された。

⑧『アナバシス』

BC四三〇ごろ〜BC三五四ごろのギリシアの軍人で、ソクラテスの弟子でもあるクセノフォンによる戦記。平易明快な文体で、長い間アッティカ散文の教科書として愛読された。作者自身も一兵卒としてペルシアにおける王位継承戦争に参戦、ギリシア軍（傭兵）の指揮官が戦死した後は、撤退する軍のしんがりを務めた。馬術の起源を作った人といわれ、今日でもイギリスでは英語訳の『クセノフォン・オン・ホースマンシップ』が書店で売られている。

⑨**宇垣《うがき》軍縮**
加藤高明内閣下で、陸相の宇垣一成《うがきかずしげ》（一八六八〈慶応四〉～一九五六〈昭和三十一〉）が四個師団の廃止を中心として断行した軍縮のこと。軍縮を求める世論の矛先をかわしつつ、節減した予算によって陸軍装備の近代化を推進。さらに青年訓練所の設置、学校教練の実施などにより、国家総動員体制の整備をすすめた。

⑩**擲弾筒《てきだんとう》**
手榴弾よりやや威力のある小型爆弾や信号弾・照明弾などを発射するための携帯用火器（射程一〇〇メートルほど）。

⑪**地中海社会主義**
旧ソ連に代表された、武装蜂起、一国家一政党、中央集権的計画経済を柱とした社会体制のモデルとは違い、その国自身に応じた体制像をめざし、具体的には平和的な権力移行、プロレタリア独裁の廃止、複数政党制、言論・思想の自由などの保証を掲げた社会主義。

後年、一九七五年にイタリア、スペイン、フランスの三国の共産党が歩調を揃えてソ連的社会主義を批判したときは、ユーロコミュニズムという用語が用いられた。

⑫**宮崎市定**
一九〇一（明治三十四）～九五（平成七）。京都帝大東洋史学科卒。六高、三高教授を

へて、京大教授。昭和十二年、フランス留学。研究範囲は宋代を中心に、アジア全域におよぶ古代から近世の政治、外交、社会、文化と、きわめて広い。『九品官人法の研究――科挙前史』で日本学士院賞。他に『アジア史研究1～5』『中国史 上下』など。

⑬ぬやま・ひろし

一九〇三（明治三十六）～七六（昭和五十一）。室生犀星に師事。プロレタリア文学運動から政治活動にはいり、昭和八年検挙される。敗戦までの獄中生活で暗記した詩、短歌、俳句を戦後まとめ『編笠』として発表し注目を浴びる。共産党中央委員となるが、徳田球一の娘（夫人と前夫の間の娘）婿のためもあり昭和四十一年、除名される。

⑭ナポレオンのスペイン征服

一八〇八年、ナポレオン軍によるマドリッド侵攻が行われ、ナポレオンの従属国になるが、マドリッド市民の蜂起でスペイン独立戦争（一八〇八～一四）が起こった。

2 国家はどこへ行く

①ゴール（ガリア・ケルト）人

Gallia（ガリア）とは、古代ローマ人がケルト人の居住地をさした呼び名。フランス語。Gaul（ゴール）は英語。地理上では、現在の北イタリア、フランス、ベルギーにあたる。

ＢＣ五八～ＢＣ五一年、カエサルがガリアへ遠征して、ローマの属州とした。『ガリア戦記』は、イギリス海峡を渡ったブリタニア（イギリス）を含むその遠征記。文章はラテン散文の最高峰。

②『魔女の宅急便』

宮崎駿プロデュース、脚本、監督による一九八九年のアニメーション作品。原作は角野栄子。主人公の十三歳の少女キキ（人間と魔女のハーフ）は、赤いラジオをほうきの先にぶらさげて、黒猫のジジといっしょに魔女のいない町を探して飛び立つ。人間と魔女が結婚して生まれた子が女の子の場合、母親が魔法を教え、十三歳の満月の夜を選んで独り立ちの旅に出さなければならないのだ。魔女の魔力は薬草を育てて薬を作ることと、ほうきで空を飛ぶこと。母親は「町の薬剤師」として伝統を守ってきたが、キキは飛ぶことにしか興味を示さない。独立の旅で行きついた見知らぬ町で、キキは「宅急便」をはじめる。挿入歌・荒井由実。

③バスク

イベリア半島北部、ピレネー山脈西端のバスク地方には、スペイン側に約二百六十五万人、フランス側に約三十五万人が住んでいるが、バスク語を話せるのは約六十万人。なおアルゼンチン、チリ、カナダ、アメリカのカリフォルニア州など南北アメリカに移住したバスク人の子孫も多い。バスク固有の風俗としてはベレー帽が有名。

④**バスク語**
バスク地方で使われる、系統不明の言語。五つの母音音素と二十個の子音音素を持つ。グルジア語やカフカス諸国と同様に、他動詞の主語には、能格（engative）という特別な格が用いられる。

⑤**コーカサス**
旧ソ連邦南西部、黒海とカスピ海に挟まれ、アジアとヨーロッパの境とされたカフカス山脈を中心とする地域。ギリシア語でカウカソス、英語名コーカサス。カフカスの名は、ヒッタイト語で黒海南岸の民族を呼んだカズカズ（Kazkaz）から生まれたといわれる。

⑥**ケルト**
ヨーロッパの先住民族。紀元前四世紀ごろ、広くヨーロッパに居住していたが、ローマ人の北進、ゲルマン人の南進のために追われ、今日は主としてアイルランドにその文化を残す。他にウェールズ、スコットランド、フランスのブルターニュ地方などさまざまな地域に散り散りになって住んでいる。イギリスには紀元前に渡来し、鉄器文化をもたらした。

キリスト教以前は、多神教のドルイド教（ドルイドとはオークの木を知っている人々の意。霊魂の不滅を信じ、動植物の姿となった神々を崇拝。泉、森、オークなどを神聖視する）を信仰。その民話は宇宙的な広がりをもち、幻想的で、妖精伝説などが多く伝えられる。小泉八雲（ラフカディオ・ハーン）はケルト人。「ケルトを知らずして、ヨーロッパのことはわからない」とは、文化人類学者レヴィ・ストロースの言葉（J・ジェイコブス編『ケルト妖精民話集』社会思想社現代教養文庫など）。

⑦アイルランド
古くからケルト人が住んでいたが、ノルマン人（バイキング）が十四世紀に侵入。清教徒革命でのクロムウェルにより差別を受けた後、イングランドに合併。十九世紀なかば、イギリス王が君主であることを否定、完全な独立国となる。第一公用語はアイルランド語。第二次大戦後イギリス連邦を脱退。アイルランド共和国となる。首都ダブリン。イギリス領の北アイルランドと二つに分かれた。

⑧スコットランド
イングランドとの間に対立をくり返し、一七〇七年、イングランドに征服合併され、グレート・ブリテン王国を形成したが、今日なおイングランドとの対立意識が根強く残る。中心都市エジンバラ。

⑨イングランド
五世紀、ヨーロッパよりゲルマン民族系のアングル人とサクソン人が来住。地名はアングル人の国の意。日本で慣用的に使うイギリスや英国とは、本来、この地方のみを指す呼

称。中心都市ロンドン。

⑩**ウェールズ**

東に接するイングランドに十三世紀に征服される。中心都市カーディフ。現在もウェールズ語（二二六ページ⑭参照）を使う住民が山地に少なくない。

⑪**ノルマンディーのフランス人によるイングランド征服**

一〇六六年、イングランドのエドワード懺悔王（信仰厚くウェストミンスター寺院を建立）の死後、従弟のノルマンディー公ウィリアム一世が王位継承を主張し、イギリスに侵入、ノルマン王朝を開く。その後二世紀間は、上流階層ではフランス語が使用されていた。英語が正式の公用語になるのは一三六二年になってから。

⑫**百年戦争**

イギリスはフランス内に領土を持ち、フランドルの毛織物業と緊密に結ばれていたことから、フランスの王位継承をめざして攻め込んだ（一三三八～一四五三）。劣勢だったフランスが、ジャンヌ・ダルクの活躍で盛り返し、カレーをのぞく国土を回復。

⑬**ジェームス・オルドリッジ**

一九一七～。日本では児童文学の『タチ』『ある小馬裁判の記』が翻訳されている。『ディプロマット』で五三年、世界平和評議会金メダル。七三年、レーニン平和賞。

⑭ウェールズ語

ケルト語派の中の一つ、ブリタニック語のうち最も重要な言語。ウェールズ語は活力に富み、数世紀にわたる英語の侵攻にも耐えて独自性を保ってきた。現在もウェールズ地方で話されるが、使用人口は減ってきている。

⑮ハノーバー家

ハノーバーは、旧西ドイツの商業都市の州都で、十六世紀中ごろハノーバー公が王宮を移す。十七世紀はじめ、ハノーバー選帝侯ゲオルグ・ルートウィヒが、名誉革命以後の王位をプロテスタントで確保するために、イギリス国王ジョージ一世となる。ハノーバー選帝王がスコットランド王ジェームズ一世の子孫だったことによる。これ以降、ハノーバー王朝がはじまり、イギリス王とドイツ・ハノーバー王を一人で兼ねることになる。しかし、ハノーバー家が女子の王位相続権を認めなかったため、ヴィクトリア女王の即位により、百年以上続いた両国の王位は分離した。

⑯マウントバッテン

一九〇〇〜七九。ヴィクトリア女王の曾孫。第二次大戦中は対日作戦を指揮。最後のインド総督として一九四七年、インド・パキスタン分離独立を実施した立役者。地中海艦隊司令長官をへて十年間、参謀総長を務める。その後ＩＲＡ（アイルランド共和国軍）のテロにより暗殺された。チャールズ皇太子の大叔父だが、「名誉祖父」といった立場だったため、チャールズはその死をひじょうに悲しんだ。その後ダイアナ妃とのハネムーンは、最初の二日間を、マウントバッテン伯爵のハンプシャーの館で過ごした。現在は孫の所有。ここにはかつてエリザベス女王とフィリップ殿下もハネムーンで訪れた。

⑰背

上の階層は概して背が高い。ハプスブルグ家最後の皇女エリザベートは一八五センチ、父のルドルフ皇太子は一九五、母のベルギー王女は一八五、息子三人はともに一九五、娘は一八五、祖父のヨーゼフ皇帝は高くなく一七〇、祖母の皇妃は一七〇を超えていた。現代においてはダイアナ妃は一八〇、スペインのフェリッペ皇太子は一九六、デンマークのマルグレーテ二世女王は一七八など。

⑱コーカソイド

人種を三種に大別した場合の一つで、白色人種のこと。カフカス（コーカサス）出身の女性の頭骨を基本として説明されたことから、コーカソイドという。

他の二種は、ニグロイドとモンゴロイド。

⑲セルビア人

セルビア人は気性が激しく、命知らずで誇り高い民族として昔から知られていた。ボスニア（住民の過半数がセルビア人）とヘルツェゴビナ両州については、一八七八年のベルリン会議の結果、名目上トルコに宗主権が与えられたが、実際の行政権はオーストリア・ハンガリー帝国（ハプスブルグ家）が持った。一九〇八年トルコで革命が起き、この両州が、トルコ議会に代表を送りたいと主張しはじめたため、オーストリア・ハンガリー帝国は、この両州を合併。当時バルカン半島は、オーストリア・ドイツの汎ゲルマン主義と、ロシア・セルビアなどの汎スラブ主義との抗争の舞台となっていた。特にセルビア王国は、南スラブ諸民族の統合、合体を叫ぶ「大セルビア主義」をかかげ、オーストリアに反抗していた。

一九一八年、ハプスブルグ家の崩壊によりセルビアを中核として、セルボ・クロアート・スロベーン王国を結成、その後ユーゴスラヴィアとなり、現在は新ユーゴスラヴィア（セルビアとモンテネグロで構成）。人口約八百万人（塚本哲也『エリザベート』文藝春秋など）。

⑳カタルーニア地方

イベリア半島で唯一、産業革命を通過した近代都市で、古くて中世的な〝偉大なる田舎〟のスペインとは別だという意識が強い。

歴史的にも、「新大陸」から戻ったコロンブス一行が着いたのは、アラゴン王国の都バルセロナで、アラゴン王フェルナンドとカスティーリャ女王イザベルの夫妻が破格の待遇で出迎えた。港湾活動で栄える首都となった。

一九九二年夏のバルセロナオリンピック開催の前日、日本の大新聞の一ページ広告が目をひいた。見出しは「バルセロナオリンピック'92――カタルーニアです。もちろん」と大ゴシック体で書かれ、ページの四分の三を占める南ヨーロッパ地図は黄色一色で、カタルーニア州だけがくっきりと赤で塗られ、スペインとしての国境線は全く描かれていない。広告主は、カタルーニア自治政府。文中には「首都バルセロナによってオリンピック開催の栄光を獲得すると知っていた国」とある。一地方という意識ではなく「国」という意識が強くうかがえる。

オリンピックにおいても、バルセロナの人は「スペインの金の数が多くたって、獲ったのはスペイン人ばかり。カタルーニア人の金メダルは競歩とヨットの二個くらい」とそっけない。ヨット競技のオリンピック国際審判員となった石井正行氏によると、大会中バルセロナではスペインの国旗はほとんど目につかず、カタルーニアの旗（黄と赤の細いストライプ）であふれかえっていたそうである。

㉑**カタルーニア語**
フランコ統治下の約四十年間、新聞、ラジオ、出版、教育ばかりか、公共の場での使用が禁止され、話しているのを警官に見つかると逮捕された。

現在、カタルーニア自治政府は、義務教育（六～十四歳）を終えると、スペイン語とカタルーニア語のバイリンガルになるよう教育している。公務員の検定試験では、カタルーニア語の試験にパスしないと採用されず、役所への申請文書はすべてカタルーニア語。

一九九二年のバルセロナオリンピックでは、カタルーニア語がスペイン語と共に公用語に採用された。スペインのフェリッペ皇太子（当時二十四歳）が、ヨット選手の主将として選手村にはいるとき、女性係員がカタルーニア語で「わかりますか？」と聞くと「もちろん」とにこやかに答えた。

㉒フランソワ一世

一四九四～一五四七。従兄のルイ十二世の娘婿として、フランス王位を継ぐ（在位一五一五～四七）。国王権力の強化につとめ、フランス教会に対するローマ教皇の支配権や、貴族の力を制限した。また王令により、裁判記録など公文書の用語をフランス語に統一することで、全国的な行政を固めた。レオナルド・ダ・ヴィンチを招き、学芸を保護したフランス最初のルネッサンス的君主だが、宗教改革に対し、プロテスタントを弾圧した。

㉓ジブラルタル

人口約三万人。面積六・五平方キロ。スペイン系住民がほとんどで、母国語はスペイン語だが、イギリスの自治植民地のため、公用語は英語。

一七〇四年、スペイン王位継承戦争のとき、王位請求者のオーストリア公カール（六世、女帝マリア・テレジアの父）を支援するイギリス・オランダ連合艦隊に征服された。翌〇五年以来、スペインは三回にわたりジブラルタル奪回の戦争を起こすが、すべて失敗。その間、一三年のユトレヒト条約によりイギリス領。

一九五四年、エリザベス女王のイギリス連邦と植民地訪問の最終地となったため、スペイン政府は訪問中止を要請したが聞き入れられなかった。八一年、チャールズ皇太子のハネムーンは、二日間マウントバッテン伯の館で過ごしたのち、ジブラルタルへ飛び、そこに停泊してあるロイヤル・ヨットのブリタニカ号で地中海クルーズへ出発。これを不服としたスペイン国王は、結婚式に出席しなかった。

㉔ジブラルタルの岩峰
ジブラルタル海峡をはさむ、スペイン、アフリカの両側の岩峰は、ギリシア時代に「ヘラクレスの柱」と呼ばれ、アトラスの神（天を両手で支える神）が、この柱で天を支えているとされた。地図帳をアトラスというのはここから。

㉕公会議
カトリック教会の教皇、司教などによる会議。教義や教会の規則について審議する。プロテスタントでは、総会議という。

㉖脱税
ヨーロッパでは名だたる「脱税王国」というありがたくない名前を冠されているイタリアでは、一九九二年七月に政府が強硬な脱税摘発方針を打ち出した。が、その一方で野党

の党首自らが「政治腐敗とマフィアのために税金を払うのはやめよう」と〝脱税〟キャンペーンを張っている。閣僚たちは「犯罪そのもの」とカンカンだが、ただでさえ脱税の国だけに、この脱税論争にイタリアは湧いた。

㉗一等巡洋艦

第二次大戦までは、戦艦と駆逐艦の中間で、攻撃力・防御力をもつ高速の多用途軍艦のこと。一九二二年のワシントン条約で戦艦の保有量が制限されたことから、補助艦として重装備の重巡洋艦（一等巡洋艦）が出現した。

二六年、世界初の重巡洋艦（約七〇〇〇トン）が建造され、次いで三〇年のロンドン軍縮条約（朝日新聞の特派員は岡本一平。妻かの子と息子の太郎を同伴。太郎をそのままパリに残して帰国）後、条約型重巡洋艦（約一〇〇〇〇トン）が誕生、厳しい制限下で優秀な性能を盛り込んだ日本海軍の傑作として世界的に有名になった。この分野で次々に優れた艦がうまれたのは、条約制限で不利な立場にあった日本が、戦艦の劣勢を巡洋艦で補おうとしたため。

㉘平賀譲

一八七八（明治十一）〜一九四三（昭和十八）。東京帝大造船学科卒。明治三十四年、海軍造船官となり、昭和六年、退役。この間にイギリス留学。日露戦争当時から、軍艦の設計、建造に長くたずさわる。外国に設計などの手を借りることなく戦艦「長門」「陸奥」、軽巡洋艦「夕張」、重巡洋艦（一等巡洋艦）「古鷹」「妙高」などをうみだした。

海軍退役と同時に東京帝大工学部教授。工学部長をへて、総長となるが、総長就任直後の昭和十四年、経済学部教授会の粛清事件、いわゆる〝平賀粛学〟を行い、大学自治と学問研究の自由を後退させる結果を招いた。

㉙徳川夢声
一八九四（明治二十七）～一九七一（昭和四十六）。活弁出身の声優。ラジオ全盛時代の最大のエンタテイナーであり、また座談、対談の名手としても名高かった（『週刊朝日』での対談「問答有用」は八年間、四百回におよび、菊池寛賞を受賞）。著書に『夢声自伝』『夢声戦中日記』など多数。

3　イスラムの姿

①イスラム教
『コーラン』と共に、ムハンマドの死後、生前の行動の記録『ハディース』が第二次的法典となった。これらを解釈することで法規を引き出したが、イスラムの歴史のかなり早い時期の九世紀のなかばごろに、聖典解釈は絶対にしてはならないと禁止された。この事態をイスラム法学の術語で「イシュティハードの門の閉鎖」といい、現在にもひき継がれ、この固定が近世におけるイスラム文化の凋落の大きな一つの原因となっている。

イシュティハードの門をはじめから閉じなかったイランのシーア派だけは例外だが、現代のイスラム法のもと、どうしても現代社会でやっていけない人々は、イスラム共同体を立ち去って西洋主義者になるよりほかはない。この問題を将来に向かってどう解決するかが、スンニー派、つまりイスラム大多数派の人々の直面している課題(井筒俊彦『イスラーム文化』岩波文庫)。

②コンスタンチノープル

イスタンブールの旧名。オスマン・トルコが四十日あまりの激戦のすえ市壁を破って入城したことで、ビザンチン帝国は滅亡。スルタン(メフメト二世)は直ちにこの町を帝国の新しい首都とし、ギリシア語の「町へ」の意味に由来するイスタンブールに改名した。

③アラビアのロレンス

アラブ側からロレンスを描いた『アラブが見たアラビアのロレンス』(スレイマン・ムーサ著、牟田口義郎・新川雅子訳、リブロポート)はこう書く。「アラブはロレンスの鳴り物入りの評判に驚きあきれると同時に、眉につばつけて眺めてきた。なぜなら〈反乱〉は、アラブの目的を達するため、アラブによって実行された純粋にアラブの試みであったと彼らは理解していたのである。アラブはもちろん英仏軍事使節団の貢献に感謝しているものの、その成功が大部分これらの使節団、あるいはその中の一人の将校に帰せられようとは、夢にも思わなかった。〃アラビアのロレンス〃という立派な称号は、もちろんイギリス人がつくりあげたことで、アラブ側は反発と軽蔑の態度を示した」

④バイロン卿

一七八八〜一八二四。十歳のとき、大伯父から男爵の位を継ぐ。イギリスの詩人。ハイネにより〝リベラリズムの比類なき布教者〟と評されるほど、強烈な自我をもつ英雄詩人の原型をつくり、十九世紀のヨーロッパに広く影響を与えた。

二十一歳から二年にわたり地中海諸国を旅し、それを描いた『チャイルド・ハロルドの遍歴』で、一夜にして憂鬱な貴公子として、衝撃的にデビュー。異腹の姉とのスキャンダルから離婚。非難を浴びて永久に故国を去る。イタリアで恋愛や自由運動に明けくれ、最後にトルコからのギリシア独立運動に身を投じ、肺炎にかかりギリシアで三十六歳の嵐の生涯を戦病死で閉じる。ゲーテ、プーシキンにも影響を与える。

日本にも早くから紹介され、森鷗外の『於《お》母《も》影《かげ》』(『マンフレッド』の抄訳)、北村透谷《とうこく》の『楚囚之詩』(『シヨンの囚人』)、土井晩翠の『東海遊子吟』(『チャイルド・ハロルドの遍歴』から構想を得る)などが有名。

⑤『西東詩集』

ゲーテの晩年の詩集。一八一九年刊。すでに二十三歳のとき『コーラン』のドイツ語訳を読み、賛歌「マホメットの歌」を未完の劇詩のために書いたり、ボルテールの戯曲「マホメット」を翻訳したりしていたが、一四年にペルシアの詩人ハーフィズの訳を読んだことから詩想をかきたてられ、『うたびとの書』『ハーフィズの書』『愛の書』など十二の書からなる多くの詩を書いた。相聞歌のかたちをとったのは、妻の死の後、マリアンネに対する愛からで、永遠に変わることのない諸価値を歌った。

⑥アーリア人

アーリアとはサンスクリット語で「高貴な」「客あしらいのよい」という意味をもっている。アーリアはやがて転音してイランとなり、現在にいたっている。イラン人は、その名からも、もてなし好きな国民である（『波』九二年八月号、岡田美恵子「世界の言語⑧ペルシャ語〝イラン人の理想は職業詩人〟」新潮社を参照）。

⑦グラナダ

アンダルシア地方東部。十二〜十五世紀にかけて、イベリア半島に残った最後のイスラム教王国として栄えた。七一一年、ムーア人と呼ばれる北西アフリカのイスラム教徒は、イベリア半島に上陸、一四九二年まで、グラナダを支配しつづけた。七百年におよぶイスラム支配だった。イスラム教王国の王宮が、地上で最も美しいといわれるアルハンブラ宮殿の赤い城である。ライオンの中庭では、華麗なアラビア装飾と百二十四本の列柱に囲まれ、十二頭のライオンの口から噴水がほとばしる。

ニューヨークのメトロポリタン美術館は、一九九二年、特別展覧会「アル・アンダルス」を開いた。アル・アンダルスとはアラビア語で「スペイン」の意で、イスラム統治時代のイベリア半島を意味した。展示品には、アルハンブラ宮殿から運ばれた半球天井、宮殿を飾っていた宝石、陶器、じゅうたん、大理石などが並んだ。

⑧アレキサンドリア

ローマ行政下、およびエジプトのプトレマイオス朝においても、エジプトそのものとは区別して扱われたほど、ギリシアの都市《ポリス》そのものだった。

七世紀なかば、イスラム軍に攻略され、新都が建設されたが、第二の都市として栄え、ギリシア科学の翻訳など、学芸、文化のうえで重要な位置を占めた。アレキサンドリア学派と呼ばれる人々により、アリストテレスの注釈が活発に行われていた。

⑨トレド

ローマの植民地都市として建設され、ゲルマン人の一派・西ゴート族の首都の後、八世紀はじめムーア人が占領し、アラビア・ヘブライ文化、学術の中心地となる。十一世紀末、キリスト教徒のレオン・カスティーリャ王国（スペイン）が激しい攻防戦のすえにとり戻し、首都とする（十六世紀なかばまで）。

イスラムの最前線だったトレドのイスラム・スペイン（アル・アンダルス）文化の高い水準は、早くから西ヨーロッパに知られ、これを支える学術書の多くが残されたため、十二世紀前半から十三世紀末にかけて、「トレド翻訳学校」と通称される画期的な翻訳作業が進められた。たずさわったのは、イスラム教徒、ユダヤ教徒、キリスト教徒の学者たちで、その協力のもとにアラビア語からラテン語へと翻訳された。アリストテレスの哲学、ユークリッドの数学、プトレマイオスの天文学、ヒッポクラテスの医学などが、このとき、ピレネー山脈を越えて西ヨーロッパに流れ、決定的な影響を与えた。

⑩フラメンコ

スペインのフラメンコ界はここ十数年モダンなものが多くなり、アラビア文化の影響が最も強く残るアンダルシア地方を除いて古典的フラメンコは少なくなり、またフラメンコを見せる酒場（タブラオ）も減っている。

バルセロナオリンピックのための開会式では、フラメンコ嫌いで知られるバルセロナが、世界的イベントのために、ジプシーの血をひく最高のフラメンコの歌い手（カンタオール）であるカマロン・デ・ラ・イスを三顧の礼を尽くして迎えた。が、開会式の一カ月足らず前に癌のため亡くなった（毎日新聞連載リレー・エッセイ、逢坂剛「さまざまな旅」）。

⑪カルロス一世

一五〇〇～五八。ブルゴーニュ公を父に、スペイン王女を母に、フランドル（フランダース）の古都に生まれる。

十六歳でスペイン王に。領土はアメリカ新大陸を含んだ。十九歳でさらに神聖ローマ皇帝を兼ね、カール五世となる。ドイツに起こったルターの宗教改革運動を異端として抑圧した、中世的カトリック帝国理念の最後の代表者。

⑫カルメン

メリメの中編小説の最終章は、本筋のジプシーの女工カルメンと闘牛士ホセの物語とは無関係に、「ジプシー談義」に終始する。主人公は、ともに近代人の枠外に設定された作者の偏愛するアウトローである。原型は、伯爵夫人から聞いたやくざの情婦殺害事件。

⑬エンリケ航海王子

一三九四～一四六〇。ポルトガルの王子。インド航路の開拓をめざし、アフリカ最西端のベルデ岬を発見。航海学校を設立、多くの航海士を養成する。新しい世界への好奇心から居館に天文学者や数学者を招き、ポルトガル人ばかりかイタリアの航海者も従え、西アフリカ探検を進め、金取引きと奴隷捕獲を果たした。

ポルトガル大使館によれば、ほとんどのポルトガルの町には王子の銅像があり、中でも有名なのはリスボンの国立美術歴史博物館にある船の型をしたモニュメントの先頭に立つ王子と船乗りたちのレリーフ。

⑭カンドー神父

一八九七～一九五五。南フランス・バスク地方の出身。第一次大戦に従軍して負傷、パリ外国宣教会にはいり、二五年、宣教師として来日。カトリック大神学校の初代校長として、邦人司祭の養成にあたる一方、フランス語、文学を通じて知識人、学生に布教。巧みな日本語による流麗な随筆が有名。『カンドー全集』（全五巻、別巻二）がある。

⑮島津重豪《しげひで》

一七四五（延享二）～一八三三（天保四）。蘭学を好み、オランダ商館長らと親しく、開化政策を積極的に進め、藩校造士館、演武館・医学院などを設け、また高輪下馬《たかなわげば》と称される豪奢な生活をしたため、藩の財政は破局に向かった。次の二十六代藩主となった斉宣《なりのぶ》が重豪の政策をことごとく破却したため、激怒した重豪は斉宣に隠居、関係者に切腹・遠島・寺入りを命じた。孫の斉興《なりおき》を二十七代目につけ、茶坊主だった調所広郷《ずしょひろさと》（⑯参照）を家老に用いて、危機を打開した。娘・茂姫は十一代将軍家斉《いえなり》夫人。『成形図説』『質問本草』『琉球産物志』などを編纂。

⑯調所笑左衛門《ずしょしょうざえもん》

一七七六（安永五）～一八四八（嘉永元）。名前は通称。本名は広郷。五十七歳のとき、島津藩の財政再建を担い、経済専門家を配下に集めて着手。主柱となった改革策とは別に、私鋳金の密造や琉球国を利用した中国密貿易を行い、密貿易が露見しその責任をとって服毒自殺をとげる。二十年にわたる改革のあいだに、道路、河川、橋梁、新田、寺社、藩邸などの営繕を行った。

⑰海老原穆《ぼく》

一八三〇（天保元）～一九〇一（明治三十四）。士族民権家。薩摩藩士として戊辰戦争で戦功をあげ、桐野利秋に従って上京。陸軍大尉、愛知県官となったが下野。『評論新聞』を創刊、征韓論と民権論を激越に唱え発禁処分にあうが、『中外評論』と改題して発行する。だが、再び発禁処分となると『文明新誌』を発行。西南戦争に関し、暴動を教唆したとして懲役刑に処せられた。

⑱ネルソン

一七五八～一八〇五。イギリスの提督。十二歳で海軍にはいり、二十一歳で大佐、艦長。スペイン艦隊の撃滅（一七九七年）、ナイル河口でのフランス艦隊の撃破（九八年）のほか、特に勇名をはせたのは、トラファルガーの海戦（一八〇五年）で、フランス・スペインの連合艦隊を撃滅し、ナポレオンのイギリス本土侵攻の野望を打ち砕いた戦いで弾を受けたとき、名言「神に謝す、われは〝わが義務〟を果たせり」を残して戦死。国葬によりセント・ポール大聖堂に埋葬。ネルソンの円柱が立つロンドンのトラファルガー広場は、国民的英雄とその海戦勝利を記念して設けられた。

4　アニメーションの世界

①セル画

アニメーション映画を作るため、一枚一枚、少しずつ動きを変えて描く絵のこと。初期にはセルロイドに描いていたことから、この名になった。

宮崎作品では、一本の作品に五～七万枚ものセル画が使われ、動きがデリケートに表現される。

②志明院《しみょういん》

鴨川の源流を祀っているお寺。京都市北区雲ヶ畑。

③『となりのトトロ』

宮崎駿原作、脚本、監督による一九八八年作品。昭和三十年代はじめの日本の、田園に囲まれた郊外を舞台に、十歳と五歳の姉妹と不思議な生き物・トトロとの出会い・交流を描いた物語。宮崎作品の代表作。日本アニメ大賞グランプリ、毎日映画コンクール日本映画大賞をはじめ、数々の賞を受賞。

5 宗教の幹

①**トルバドゥール**

十一世紀から十三世紀末にかけて、オック語（南フランス）の作品を創り出した詩人、作曲家を兼ねた宮廷芸術家の総称。その出身階層は、王侯、領主、騎士、司教、高位聖職者から庶民にいたる。最古のトルバドゥールは、国王よりも広大な領地を有するアキテーヌ公九世など、天才的な詩人であった。トルバドゥールのテーマは〝至純の愛〟で、貴族や上層の人妻たる貴婦人への容易に充足されない奉仕の愛や、武勲詩、騎士道物語。その詩を作曲して歌った。演奏まで自らする場合と、従者にさせる場合とがあり、曲は朗唱ふうで、小さなハープなどで演奏する。

中世ラテン詩・音楽の伝統と、スペインを介したアラブの詩・音楽の影響が、独自のトルバドゥール芸術をうみだした。イタリアとスペインに地理的に近接し、文化的に成熟したオック語圏にトルバドゥールが輩出したが、十字軍とそれに続く異端裁判で衰えていく。その影響は、イタリアのダンテなどヨーロッパ各地に広がった。

②**エホバ**

『旧約聖書』の天地創造主。シナイ山でモーゼの前に現われてから、イスラエル民族と契約関係にはいり、その唯一神となった。正式にはヤハウェ（Yahweh）で、エホバ（Jehovah）とは十六世紀以降のキリスト教会の誤読に基づく。

③アッラー

一介の商人であったムハンマドが四十歳ごろの六一〇年、故郷のメッカで突然、最初の啓示を受けたことからはじまったイスラム教における、その顕著な特徴である唯一絶対である神の名。『コーラン』には、「汝らの神は唯一なる神。そのほかに神は絶対にない」「アッラーの仰せには、汝ら二神を認めてはならぬ。神はただひとり。さればこのわれこそ汝らの懼《おそ》れうやまうべき神」とあるように、絶対的唯一神教の宣言がいたるところにされていて、あらゆる形の二元論、多元論は、ことごとく否定する。

イスラムが出現する以前、アラビア半島は偶像崇拝の栄える国で、各部族が自分の神を持ち、メッカの神殿には地域神像が何百も祀られていた。

なかでも三女神が人気があったが、当時アラブ一般では、男の子をもつのが生き甲斐で、娘が生まれることはこの上もない恥とされていたことを論拠として、『コーラン』では、女神崇拝を神に娘が生まれたというつもりかと痛烈に揶揄している。

イスラムにおける神とは、あくまでも主人で絶対的権力をもつ支配者であり、一方、人間はその奴隷あるいは奴僕でしかない。キリスト教のように、神にむかって「天にましますわれらが父よ」といった、父と子の間柄の親しさとはまったく質を異にする。イスラム教徒の意味で使われている「ムスリム」とは、絶対帰依者、つまり己のすべてを神に引き渡してしまった人の意。

宗教は一般的に神聖という言葉と結びつき、場所としては神社仏閣などが聖域となり、聖なる次元と俗なる次元が二分されるが、イスラムでは人間生活の日常茶飯事までが宗教の範囲にはいる。それゆえに、キリスト教が金科玉条とする「神のものは神へ、カエサルのものはカエサルへ」という原理はまったくのナンセンスで、政治も法律も宗教であって、聖俗は分かれない（井筒俊彦『イスラーム文化』岩波文庫）。

④ディスコ

名前は「パラディアム」。場所はユニオンスクエアのそば。約一年間のデザイン期間をへて、改築に九カ月かけて一九八五年五月に完成。フロアー全体の広さ九六一〇平方メートル。住所 126E. 14th Street, New York. NY10003

⑤アングリカン・チャーチ

広義には全世界の聖公会を意味するが、狭義に英国国教会を指す。六世紀末からイギリスの教会はローマ教皇を頭とするローマ・カトリック教会に組み込まれ、十一世紀なかばの、ノルマンディー公ウィリアム一世のイギリス征服以後はいっそう緊密に教皇庁との関係を維持した。一五三四年、ヘンリー八世が離婚問題で対立、ローマとの関係を絶ち、自ら英国国教会の最高首長となった。

二十世紀にはいり、カトリックとプロテスタントの橋渡し的な役割を果たし、一方、ローマ・カトリックとの話し合いも進められ、一九七〇年代になって、いくつかの教理に関する合意声明が発表された。この間、約四百四十年かかっている。

⑥福地桜痴《おうち》

一八四一（天保十二）～一九〇六（明治三十九）。本名、源一郎。長崎にうまれ、オランダ通辞に学ぶ。才知に秀で、江戸に出て英学を学び、明治維新の七年前と三年前の二度にわたり、遣欧使節に通辞として同行。幕府の瓦解により失職し、明治元年『江湖《こうこ》新聞』を発行。筆禍で廃刊。売文、遊蕩生活中、渋沢栄一の紹介で伊藤博文、木戸孝允に認められ大蔵省に出仕。米欧への岩倉使節団に一等書記官として加わるが官界に合わず、帰国後の明治七年辞職し、『東京日日新聞』に主筆として入社。株式取引所理事長、東京府会議長などを兼職。民権論に対抗して立憲帝政党をつくったことから明治十七年、主筆を辞し、論壇を引退。その後は九代目市川団十郎に共鳴、近代歌舞伎の発展に熱中し、多くの戯曲、小説を発表。史論も残す。

⑦元田永孚《ながざね》

一八一八（文政元）～九一（明治二十四）。熊本の藩校・時習館に学ぶ。五十三歳の明治四年、大久保利通らの推挙で宮内省入りし、死去するまでの二十年間、明治天皇への進講をつづけ、帝王学の教授にあたる。天皇の命を受けて『教学大旨』『幼学綱要』を執筆、編纂。仁義忠孝を中心とした儒教道徳の復活をはかろうとした。教育勅語の起草に加わったのは晩年。宮中顧問官、枢密顧問官をつとめ、男爵となる。

6　日本人のありよう

①ロアルド・ダール

一九一六〜九〇。南ウェールズうまれ。第二次大戦では大英帝国空軍に志願、戦闘機でリビア・ギリシアなどを転戦。四二年、アメリカ大使館付武官となり、ワシントンに在住。四六年、初めての短篇集『飛行士たちの話』は、すべて飛行機乗りの生活がテーマだった。五三年、短篇集『あなたに似た人』でアメリカ探偵作家クラブ賞。

女優パトリシア・ニールとの間に四児がおり、子供たちに聞かせた童話『おばけ桃の冒険』『チョコレート工場の秘密』などは日本語に翻訳されている。

他に著書として『来訪者』『幽霊物語』など、映画脚本として『007は二度死ぬ』『チキチキバンバン』など、テレビ作品として『ヒッチコック劇場』の常連だったほか、『ロアルド・ダール劇場　予期せぬ出来事』など（ハヤカワ・ミステリ文庫『あなたに似た人』解説・田村隆一「ぼくの好きなダール」）。

②奈良

ナラとは朝鮮語で「国」の意。当時の先進国・朝鮮の人々が来日し、奈良の都造りにかかわった時、「ウリナラ」つまりわれわれの国、と呼んだところから、奈良の名ができたのではないかといわれている。

③石田幹之助《みきのすけ》

一八九一（明治二十四）〜一九七四（昭和四十九）。東京帝大史学科卒。大正五年、学術調査で北京に出張し、モリソン文庫（中国を中心としたアジア関係の蔵書約二万四千冊・地図・パンフレットを多数蒐集）を訪ねる。その後、岩崎久弥がモリソン文庫を購入。石田がこれに漢籍などの史料を加え、今日の「財団法人東洋文庫」の基礎をつくった。

著書『長安の春』は、世界の文化が流入した長安でいかなる生活が営まれていたかを、わずかな記録の断片を丹念に集めて格調高い文章で著した名著（東洋文庫『増訂　長安の春』解説・榎一雄）。

④『アルプスの少女ハイジ』

一九七四年、フジテレビ系で一年間放映した名作アニメ第一弾。

子供たちの日常生活を子細に描いた作品で、監督・高畑勲と共に、宮崎駿が場面設定・画面構成など重要スタッフの一人として参加。テレビ放映時から高視聴率（三十数パーセント）を得、日本での再放映回数の最も多い番組になった。ヨーロッパ各国でも放映され、各種の賞を受けている。

7　食べ物の文化

①ポルトガル

農業国でありながら、耕地は四〇パーセントで、地味はやせて生産性が低いため、食糧の半分以上を輸入に頼らざるをえない。農民の約半数は土地を持たない。〇・三パーセントの大地主が、全農地の約四〇パーセントを保持している。

②植民地

一九六一年からアンゴラ、ギニア、ビザウ、モザンビークとつぎつぎに植民地独立戦争が始まったが、ポルトガル政府は植民地を本土と不可分の海外領土と位置づけ、国家予算の四〇パーセントと二十万人の将兵を注ぎ込んだ。戦争は国民生活を著しく圧迫、徴兵忌避で若者の多くが亡命した。

③クロムウェル

一五九九〜一六五八。名はオリバー。宗教改革を推進したトーマス・クロムウェルの末裔にあたる。母親からピューリタンの信仰を受け継ぐ。イングランドの下院議員として、農民の利益を守る。内乱が起こると、国王反対派として自ら騎兵隊を率いて議会軍に参加、司令官となり国王軍にとどめを刺す。国王に対する特別法廷の一員となり、チャールズ一世を処刑。新政権は反革命の拠点のアイルランドとスコットランドに遠征し、反革命勢力を掃討。アイルランドでの残虐行為と徹底した収奪が、今日のアイルランド問題の基をつくった。

明治時代の知識人に影響を与え、小説家・木下尚江の出発点となり、教育勅語の発布に関わる「内村鑑三不敬事件」の背景には、内村のクロムウェルへの傾倒があった。

④ボルドー液

硫酸銅に石灰・水を加えると、硫酸銅の持つ殺菌力を生かすことができ、硫酸銅だけ単独で使用した場合に薬害を生ずる欠点をなくした。一八八五年、フランスのボルドーで発生した葡萄のべと病（露菌病）に効くことがフランスの植物学者ミランデルによって発見された。現在にいたるまで広く用いられている。

⑤メニュー

神奈川歯大・斎藤滋教授、食文化研究家・永山久夫氏が当時のメニューを再現したところによると、イワシの丸干し、梅干し、焼き味噌、里芋とワカメの味噌汁、うるち米の玄米をたいたご飯。現代人には、ご飯は閉口するほど硬く、焼き味噌はひじょうにしょっぱい（朝日新聞日曜版「かむ」）。

⑥シイタケ

林野庁によれば、干しシイタケは、製品となるまで二〜三年と時間と手間がかかり、生産者の高齢化もあって生産量が減っている。一方、輸入は急増、一九九一年は五年前の二十三倍になり、輸入の依存率は一・二パーセントから二三・六パーセントにまで高まっている。輸入先は九割が中国。品質は劣るが、値段が国産の三分の一程度と安いため、外食産業などに利用されている。

⑦キム・レイホ
モスクワにある、文学研究では最も大きな機関「世界文学研究所」の日本文学セクションの第一人者。明治以降の近代文学が専門。たびたび来日し、一九九一年、法政大の客員教授をして、一年間にわたりロシア文学との関わりにおける日本文学を講義。

⑧中村喜和
一九三二（昭和七）〜。一橋大大学院社会学研究科博士課程修了。ジェトロ（日本貿易振興会）、東大講師、一橋大教授をへて、共立女子大教授。専攻はロシア文献学。『聖なるロシアを求めて』で大佛次郎賞。

⑨珊瑚《さんご》草《そう》
オホーツクを望む網走市卯原内《うばらない》の能取《のとろ》湖畔などに群生。塩分を含んだ湿地に生える背の低い一年草で、節のある茎が太く、花も葉も小さくて目立たないが、秋には茎が深紅にな

り、珊瑚のように見える。種子は波で運ばれ、広がる。北海道東部に多く、厚岸《あっけし》のカキ島で発見されたため、正式名はアッケシソウ。見ごろは九月いっぱい。珊瑚草が枯れ始めるころ、北海道では本格的な冬仕度に入る（毎日新聞一九九二年九月二十八日）。

⑩小島政二郎

一八九四（明治二十七）〜一九九四（平成六）。大正、昭和期の随筆家、小説家。東京・下谷《したや》生まれ。慶大卒。永井荷風に傾倒し、文学を志す。雑誌『赤い鳥』『三田文学』の編集を手伝い、鈴木三重吉を通じて芥川龍之介、菊池寛らと交流する。多くの大衆小説で知られるが、『場末風流』『わが古典鑑賞』など随筆に優れた作品が多い。

8　地球人への処方箋

①四手井綱英《しでいつなひで》

一九一九（大正八）〜。三七年、京大農学部林学科卒。秋田営林局林学試験所勤務をへて、五四年、京大農学部教授。七五年、退官、名誉教授。著書『日本の森林』『森林の価値』『森の生態学』など多数。

②森

ヨーロッパ中世における森の現実は、ガストン・ルプネルの『フランス農村史』によれば、畑を延長し、補充する不可欠の領域と同時に「伝統的な恐怖の場」でもあった。

森の意の語は、フランス語で forêt ドイツ語で Forest 英語で forest だが、その派生の元となった foresta の最古の出現は、六四八年の「アンデンヌと名づけられた森、すなわち野獣が繁殖する広大な孤独の地」として出てくる。アンデンヌ（フランス北東部、ベルギー南東部、ルクセンブルグ北部にかけての大森林は、ローマ時代から知られ、後年、第一次・第二次大戦の激戦地となる。映画『バルジ大作戦』の舞台）は、ケルト時代からヨーロッパにおける随一の森だった。ラテン語で、森にほとんど自動的に冠される形容詞は gaste で、荒れはてた、空虚な、不毛なという意味。

中世の森に関する資料の一つ、ランベルトの『年代記』によると「一〇七三年、ゲルマンの奥深い森、巨大で虚ろなはいりこみがたい森で、皇帝ハインリヒ四世とその従士が、あやうく餓死の危険にさらされた」とあり、森に慣れている狩人以外には、実に恐るべき場所として、喚起している（ジャック・ルゴフ『中世の夢』名古屋大学出版会など）。

③イル・ド・フランス
パリ盆地の中央部で、セーヌ川とその支流が流れ、フォンテンブロー、コンピエーニュなど広い森林で囲まれた平野。中心都市にパリがある。

ＯＥＣＤ（経済協力開発機構）の参事官によれば、「フランスは森を残しながら持続可能な農業をしているが、アメリカは森をとりはらって金もうけ一点張りの農業をやってきたから、いま土壌流出で危機が迫っている」とその差を説く。パリ近郊をドライブすると、農業地帯は、整然と区分けされた農地と、こんもりとした平地林とが、美しい農村の景観をつくっている（毎日新聞連載「ミュンヘンから東京――協調新時代5」）。

④**華北**

黄河の中・下流地域。中国古代文明の発祥地。畑作地帯だが気候は乾燥し降水量が少ないため過去しばしば干害に悩まされた。鉄鉱石が豊富。湿潤地帯の華中、華南と著しい対照をなす。

陳凱歌《チエン・カイコー》監督の近作『人生は琴の弦のように』では、時代設定ははっきりしないが〝昔、昔の黄河流域〟の岩肌がむき出しになった荒地を、老若二人の盲目の旅芸人が村から村へと旅をする。画面を圧倒する勢いで黄河の濁流が奔走する一方、周りは荒涼たる土地が続く風景が印象的である。

⑤**銅**

燃料は、中国、朝鮮、日本に広く分布する櫟《くぬぎ》の炭で、質もよくカロリーが高い。青銅は、銅と錫《すず》の合金で、銅に比べて硬度があり、はるかに良質の器物を作ることができる。

銅の溶解温度は摂氏約一一〇〇度。石器時代直後の銅器時代にこの高温をえることができたのは、性能のいい鞴《ふいご》があったから。革製だったため遺物は出土していないが、山東省から出た後漢時代の冶鉄を描いた画像石には、蛇腹《じゃばら》式の大きな提灯を横にしたような鞴に左右一人ずつと真下に寝そべった一人の三人が取り組んでいる図があり、三人一組でふくらましたりすぼめたりして風を送り、火力をあげたと思われる。なお、青銅は銅より低い温度で溶け、溶けると水のように流動性に富んでいるため、どんな緻密な造形もほどこせる（日本経済新聞 Weekend Nikkei「美の回廊――驚異・古代中国のハイテク」などを参照）。

⑥砂漠

「われわれは荒地を開墾し、農場を作り、幹部学校を設け、無情にも森林を伐採して、大規模に北の砂地へ〝進軍〟したのだった。そのあげく、大自然は直ちに砂の線を押しよせて仕返しをしてきた。統計によると'49から'80年までに、砂漠化した土地の合計は全国総面積の7分の1を超えている」（何博伝《ハ・ボチュアン》『中国・未来への選択――かくも多き難題の山』日本放送出版協会）

⑦梯団《ていだん》

もと軍隊の用語で、大兵団を数個の部隊に分け、輸送などを行う時の各部隊のこと。

⑧楽浪郡

北朝鮮南西部の古称。中国の漢の武帝が、BC一〇八年に衛氏を滅ぼしたのち、真番《しんばん》、臨屯《りんとん》、玄菟《げんと》、楽浪の四郡を設置し、漢の植民地とした。BC八二年、三郡を廃止・縮小して楽浪郡に編入。AD三一三年の滅亡まで約四百年の間存続し、漢民族の刺激を受けた高度な楽浪文化が形成された。

⑨玄菟《げんと》郡

漢の武帝により、BC一〇八年、朝鮮に設置された漢四郡の一つ。漢の滅亡後、名目上は三国魏の支配下におかれたが、台頭する高句麗（BC一世紀末、ツングース系民族などにより建国）によって、四世紀初頭、併合された。

⑩中国の人口

中国の人口は正確にはわからないが、一九五七年、フランスの『ル・モンド』紙のロベール・ギラン記者の中国ルポルタージュの書名は『六億の蟻』だった。

文革中の六六年の『人民日報』の社説によれば、「毛沢東同志のおっしゃるように行動すれば、我が国七億の人民は、旧世界の批判者となり、新世界の建設者とそれを守る者となるだろう」とあり、当時の人口は七億人だったことがうかがえる。

いずれにしても三十〜四十年間で二倍になった。一人っ子政策にもかかわらず近年も、年々約千七百万人ずつ増加している。

それに比して森林の被蔽率は国土の約一二パーセント（日本は約七〇パーセント）で緑がきわめて少ない。耕作面積は日本の約三・七倍ほどといわれるが、人口に比して、中国の食糧事情が問題になっている。

映画監督・陳凱歌（『黄色い大地』など）の著書『私の紅衛兵時代』（講談社現代新書）

にはこうある。「一九六〇年から六二年にかけての大飢饉を回顧するには、(中略)まず木の皮や草の根が食い尽くされ、やがて泥にまで手が出された。(中略)三千年にわたり文物繁栄を謳われた中原《ちゆうげん》の省に、無人の地区さえできてしまった。(中略)餓死の話が、当局の資料に出ることはない。触れるときは、『非正常な死亡』という単語が使われる。この非正常なまま死んだ人は、わずか数年の間に、二千万から三千万人にのぼった。オーストラリアの全人口に匹敵する人々が、消えてしまったのだ。しかし、私たちは何も知らなかった。知っていた人も、教えようとはしなかった」

●明記した出典以外は、各種辞典類、各新聞などを参考にしました。
作成協力　植田紗加栄

あとがき

宮崎　駿

おふたりの愛読者といっても、読む端《はし》から忘れてしまって、いっこう賢くならない読者のひとりですが、この時代とこの日本について、おふたりにお話いただきたいと夢見ていました。

世界のゆらぎが私のいる小さな職場にも届いて、うかうかしているとただ流されるだけになってしまいそうです。道を乞う……などと書くと、おふたりに叱られそうですが、この混沌の時代に遭遇しての正直な気持ちでした。

心情的左翼だった自分が、経済繁栄と社会主義国の没落で自動的に転向し、続出する理想のない現実主義者の仲間にだけはなりたくありませんでした。自分がどこにいるのか、今この世界でどう選択して生きていくべきか、おふたりなら教えていただけると思いました。

まさか実現するとは。しかも自分が聞き役にまわってです。意を決するとはこの事でした。

恥をかくのをいとうつもりはなかったのですが、残念なのは自分の力不足です。日頃、言葉の定義をあいまいにして来たむくいでもあります。もっとつっこむべき瞬間を、何度も私は逃しました。立ちどまって考えている間に、会話は次へ進んでいったりしました。

忘れられないのは、

「人間は度しがたい」

と司馬さんがおっしゃった瞬間でした。堀田さんが坐りなおしつつ、

「そうだ。人間は度しがたい」

と応えたのです。大きな元気な声でした。

堀田さんは、牛車《ぎっしゃ》に折りたたみ式の方丈を乗せて、京をすてて山へ入っていく鴨長明のようでした。

司馬さんは、天山北麓のみどりの斜面の、馬にまたがった白髪の胡人のようでした。

私はとり残された裏店の絵草子屋のようでした。

私事で申し訳ありませんが、死んだ母のことを思い出していました。

「人間はしかたのないものだ」というのが彼女の口癖で、若い私と何度も激しくやりとりしたのです。戦後の文化人の変節について彼女が語るとき、不信のトゲは何かいたたまれないものがありました。

茫然としながらも、おふたりの言葉は私の気を軽くしてくれました。澄んだニヒリズムというと、誤解をまねくでしょうか。安っぽいそれは人を腐らせ、リアリズムに裏づけられたそれは、人間を否定することとはちがうようです。

もっと長いスタンスで、もっと遠くを見る目差しが欲しいとつくづく思います。

二度にわたる鼎談のおかげで、私は少し元気になりました。頭の眠っていた回路に、電流がながれたような気分です。自分ひとり得心して、読者の方には力不足を謝るほかありません。

この機会をつくるために尽力して下さった人々に、心からお礼申しあげたいと思います。

本文校訂について

1、原則として、原文を尊重した。ただし、明らかな誤表現は、著作権者の承諾を得て訂正あるいは削除した。
2、送り仮名は、一九八一年の内閣告示に基づく「送り仮名の付け方」に拠らず、作者の表記法を尊重して、みだりに送らない。
3、振り仮名については、編集部の判断で適宜、加筆ないし削除した。

時代《じだい》の風音《かざおと》

朝日文庫

1997年3月1日　第1刷発行
2023年8月30日　第13刷発行

著　者　堀田善衛《ほったよしえ》
司馬遼太郎《しばりょうたろう》
宮崎《みやざき》　駿《はやお》

発行者　宇都宮健太朗
発行所　朝日新聞出版
〒104-8011 東京都中央区築地5-3-2
電話　03-5541-8832（編集）
03-5540-7793（販売）

印刷製本　凸版印刷株式会社

ISBN978-4-02-264139-7

大江　健三郎
小説の経験

作品とのより深い出合いのために——小説の再読を説くノーベル賞作家の文学講座。文芸時評を併録。
《解説・加賀乙彦》

大江　健三郎
大江健三郎往復書簡
暴力に逆らって書く

困難と狂気の時代に、いかに正気の想像力を恢復するか——ノーベル賞作家が世界の知識人たちと交わした往復エッセイ。

大江　健三郎著／大江　ゆかり画
「自分の木」の下で

なぜ子供は学校に行かなくてはいけない？　子供たちの疑問に、やさしく深く答える。文庫への書き下ろし特別エッセイ付き。

大江　健三郎著／大江　ゆかり画
「新しい人」の方《ほう》へ

ノーベル賞作家が、子供にも大人にも作れる人生の習慣をアドバイス。「『子供のための大きい本』を思いながら」を新たに収録し、待望の文庫化。

大江　健三郎
「伝える言葉」プラス

人生の困難な折々に出合った二四の言葉について語る、感銘と励ましに満ちたエッセイ。深く優しい「言葉」が心に響く一冊。
《解説・小野正嗣》

大江　健三郎
定義集

井上ひさしや源氏物語、チェルノブイリ原発事故の小説など、忘れがたい言葉たちをもう一度読み直す、評論的エッセイの到達点。
《解説・落合恵子》

本多 勝一
日本語の作文技術

わかりやすい文章を書くための秘訣を、数々の実例をあげながら論理的に解説する実践的文章指南の白眉。　《解説・多田道太郎》

本多 勝一
実戦・日本語の作文技術

大ロングセラーとして名高い『日本語の作文技術』の続編。作文論・技術論に加えて日本語論も収録。

本多 勝一
〈新版〉日本語の作文技術

世代を超えて売れ続けている作文技術の金字塔が、三三年ぶりに文字を大きくした〈新版〉に。わかりやすい日本語を書くために必携の書。

本郷 陽二
できる大人の敬語の使い方

名刺交換、電話対応、トラブル対応、ビジネスメールの書き方、冠婚葬祭など。社会人として知らないと恥ずかしい敬語一〇〇を丁寧に解説。

高橋 源一郎
非常時のことば
震災の後で

「3・11」以降、ことばはどう変わったのか？　詩や小説、政治家の演説などからことばの本質に迫る、文章教室特別編。　《解説・荻上チキ》

村田 喜代子
縦横無尽の文章レッスン

小学生の名作文、詩、科学、童話や身体論も。著者が選んだ名文をテキストに、読んでから書く、大学で開かれた実践的な文章講座。　《解説・池内 紀》

朝日文庫

萩原　延壽
江戸開城　遠い崖 7
アーネスト・サトウ日記抄　《大佛次郎賞受賞》

江戸総攻撃は西郷隆盛と勝海舟の会談によって回避された。戊辰戦争の前途は？　折からサトウは北海の旅に出て、宗谷沖で坐礁・難破する。

萩原　延壽
帰国　遠い崖 8
アーネスト・サトウ日記抄　《大佛次郎賞受賞》

幕末の動乱が終わり「新しい日本」が発足。賜暇帰国から戻ったサトウは急激な変革を目にする。一方明治四年一一月、岩倉使節団が横浜を発つ。

萩原　延壽
岩倉使節団　遠い崖 9
アーネスト・サトウ日記抄　《大佛次郎賞受賞》

岩倉らは旺盛な好奇心でイギリス各地を見学。林立する工場群や鉄道網など、一大先進国における景況は使節団一行の眼を打つ。

萩原　延壽
大分裂　遠い崖 10
アーネスト・サトウ日記抄　《大佛次郎賞受賞》

帰国した岩倉・大久保を待っていたのは、留守を預かる西郷らとの「征韓論」をめぐる対決だった。「明治六年の政変」を追う。

萩原　延壽
北京交渉　遠い崖 11
アーネスト・サトウ日記抄　《大佛次郎賞受賞》

明治七年の台湾征討から清国との関係悪化、イギリスの駐清公使ウェードの調停と続く「北京交渉」一連の経緯と大久保の活躍を追う。

萩原　延壽
賜暇　遠い崖 12
アーネスト・サトウ日記抄　《大佛次郎賞受賞》

二年間の休暇を終えたサトウは、東京へ帰任する前に鹿児島へ赴き、西南戦争勃発の現場に居合わせることになった。

柴田 元幸
生半可版 英米小説演習

メルヴィル、サリンジャー、ミルハウザーなど、古典から現代まで英米作家の代表作のさわりと対訳、そして解説をたっぷりと!《解説・大橋健三郎》

柴田 元幸
翻訳教室

東大人気講義の載録。九つの英語作品をどう訳すか。日本語と英語の個性、物語の社会背景や文化まで知的好奇心の広がる一冊。《解説・岸本佐知子》

柴田 元幸
代表質問
16のインタビュー

村上春樹、バリー・ユアグロー、岸本佐知子ら一三人との文学談義。読めばフィクションがもっと好きになる傑作インタビュー集。《解説・福岡伸一》

落合 恵子
積極的その日暮らし

母を失った日々を深く重ねながら、喜びも悲しみも憤りも積極的に引きうけてきた著者が綴る、優しい怒髪のひと時。《解説・長谷川義史》

落合 恵子
決定版 母に歌う子守唄
介護、そして見送ったあとに

七年の介護を経て母は逝った。襲ってくる後悔と空いた時間。大切な人を失った悲しみとどう向かい合うか。介護・見送りエッセイの決定版。

曽野 綾子
幸せの才能

人生は努力半分、運半分! 読むだけで心が明るくなる、幸せに生きるヒント六一編。著者の説得力ある言葉が、読む人の毎日を肯定し、力づける。